RELATOS CORTOS
CON DISTINTOS ADEREZOS

ENSALADA DE CUERVOS

WILL CANDURI

Para Elizabeth
con mucho cariño
Will
2022

ENSALADA DE CUERVOS

WILL CANDURI

Ensalada de Cuervos
Will Canduri
Web: https://willcanduri.com/
Instagram: @willcanduri

Primera edición, Noviembre 2021.

Portada e ilustraciones: Megan Herzart.
Maquetación y montaje: Elaine Agher.

A manera de prólogo

Escribir prólogos es un arte. Los prólogos de Borges son piezas literarias de inestimable valor. Dice en el prólogo a sus prólogos, que esos libros prologados fue una dicha leerlos. Quiero partir de ese principio. Es un gozo leer a ***Will Canduri***. La belleza de sus textos y las historias ocultas, imantan.

Aproximarse a un texto y hablar de él pasa por los aspectos formales, debe estar bien escrito, poseer una voz y un tono particulares. Buen uso de los diálogos, definición de los personajes. Ambientes, tramas y argumentos firmes. Esos elementos aquí no ameritan explicación. La obra habla por sí misma.

Ensalada de cuervos junta lo fantástico, sorprendente y diverso. Como dicen los grandes escritores, es necesario ser un buen lector para llegar a ser un buen escritor, ser un buen lector es concienciarse con lo leído, hacerlo vida en nosotros, la lectura recuerda en algún momento que la vida también está allí, con sus azares y su absurdo, saber escribir amerita inteligencia y sensibilidad. Cuando una lectura perdura en el lector, cuando del inconsciente brotan esas imágenes únicas y universales, el autor puede darse por servido. Algún lector lo lleva dentro, a veces sin saberlo, otras en conocimiento de haber leído algo que vale la pena atesorar. Un libro de mundos metaforizados, construidos de manera diáfana y sencilla. La honestidad de una oración clara nos hace creer en la ficción y dudar de lo real. Ese es el poder de las palabras.

Uno de estos días caminando por Chacao, observé a un hombre, presentable aún, sombrero gastado, zapatos que lo hacían parecer descalzo, pantalón y camisa arrugados, empujaba un carrito de supermercado. Recoge latas, botellas y cuanta cosa reutilizable o intercambiable encuentra. Al verlo lo reconocí, es el amigo de Nuki, me dije. Un personaje de Will escapado de sus páginas, una historia que va de lo particular a lo universal de la condición humana.

Late en mí El Ocaso del Feromundo con la emoción incierta de un hallazgo cabalgando en tres universos. Los espacios literarios de esta Ensalada son impactantes, vemos la sangre correr, la sordidez de una pareja dando emoción a su vida erótica. El Capitán de La Rebelión de Astronarda y su desafuero me conmueven al pensarlos. La muerte inútil por la violencia en las calles. El terror ante un lago de olor muy particular. La Cuba Baptistera adelantando la frustración, el fracaso y la resignación. Esa forma de vivir en lo que ocurre, cuando no queda otra cosa que decir si no, "Ramón, púdrete en el infierno". Los cuentos de la Ensalada van delineando mundos entre lo sarcástico y lo dramático, Pocaterra es una muestra de eso. Se fabula la historia con tal fuerza y verosimilitud, que la documentación histórica ficcionada nos hace dudar de lo real o lo imaginado. No le hace falta al autor haber estado en un lugar, a ninguno de nosotros con las posibilidades tecnológicas de hoy, pero hace falta arte para expresarlo y eso se logra con ingenio y oficio.

La sensorialidad que desbordan los ambientes, unida a personajes bien definidos, habitarán al lector. El manejo de la ironía, la nostalgia, la gentileza de los afectos, todo confluye en los dieciocho mundos que Will ha creado con dulzura y tesón. La diversidad expresada en los cuentos candurianos es sorprendente y nos deja con ganas de más. Se compilaron en este libro los cuatro elementos de algún decálogo: son entretenidos, intrigantes, emocionan y sorprenden. No tengo nada más que decir.

Conocí a Will en el Taller Corrección Perpetuum. Desde que lo escuche la primera vez, supe que era un hombre con determinación. En la medida que conversamos sus convicciones, criterios y amplio sentido del humor me dieron a conocer un autor con personalidad y arrojo. A Will se lee con pasión. Escribe una obra con pulso y estructura, es un arquitecto con las palabras. Sabe por dónde puede escaparse lo que el lector no debe saber. Escribir cuentos es un arte sostenido en la concisión y precisión. Contar lo no contado, deslizar la trama, mantener la tensión, fabricar intensidad y proponer un continuo.

Tuve la fortuna de acompañar a Will en la elaboración de algunos y la corrección de los sabores y texturas de este libro. Los invito a degustar lo crujiente y suave, los amargos y dulces, los ácidos y salados, todos muy bien macerados y sazonados de esta Ensalada.

Hay para todos los gustos.
¡Buen provecho!
Desde una Caracas soleada.
Álvaro D'Marco

A Susan, por ser mi eterno amor y compañera
de todas las aventuras

Hora del deceso: 7:36 p.m.

Se puede pensar que todo lo que se avienta a través de la ventana de un piso dieciséis buscaría ser descartado. Quizá fue ella quien descartó al majestuoso balcón del hotel Le Sejour, para terminar ahorcada bajo los finos decorados artísticos de un Monet. Cinco estrellas que se convertirían en cuatro en cuanto las primeras planas muestren la foto del imponente penthouse acordonado por el escándalo.

Una bandeja de fina plata inglesa con restos de comida aún caliente bajo sus pies suspendidos. Una copa de Dom Pérignon a medio beber, con marcas de labial sobre el filo de su boca. Las sospechas del detective apuntan a que no ha podido hacerlo ella y las cámaras de vigilancia solo registran el acceso de Janet, la camarera argelina menos afortunada de todo París. No obstante, durante un lapso de tres minutos, esas mismas cámaras fueron desactivadas. Eso inquieta a la policía; mas no al detective Duboix quien ha logrado llegar primero a la dantesca escena.

Camina por la habitación y la desnuda en busca de respuestas. Se muestra desencajado.

Una agenda emerge de entre los finos edredones de seda para sugerir un contacto relacionado con el Ministerio de Salud de Francia. No hay mucho para mirar, tampoco quiere hacerlo.

Se ha detenido sobre la correspondencia recibida por la huésped aquella calurosa tarde de julio. Mientras tanto, Janet, con las manos sobre el rostro, solo recuerda que en el momento del macabro hallazgo, hacía entrega del correo a la doctora Luisa Harden, quien es ahora víctima de un posible asesinato.

Ocho sobres negros, aún cerrados, son enviados a custodia forense hasta que puedan ser abiertos con una orden judicial. Rastros de saliva y también marcas de algunas mordidas sobre los pechos de Harden hacen que todo sea confuso.

En el hotel, los empleados están convulsionados por la noticia y los huéspedes buscan terminar con su estadía. El ruido de los picaportes se confunde con el de los equipajes arrastrados por los pasillos, mientras que los visitantes compiten en todas direcciones para aproximarse primero a las filas de los congestionados elevadores.

Murmullos. Desconcierto. Todo es un caos en el gigantesco lobby, ya que la policía ha prohibido el acceso o la salida del hotel.

—No pueden hacerme esto, ¿ustedes no saben quién soy yo?

—Mil disculpas Monsieur Phillips, pero son órdenes de la policía —explica el recepcionista.

—¿Cómo puede ocurrir una cosa así en un hotel de esta categoría? ¿A qué clase de personas están dejando entrar? —responde el afamado escultor irlandés, golpeando la cómoda de la recepción con ambas manos.

Además, la policía ha ordenado registrar a fondo cada una de las habitaciones. La lujosa privacidad es ahora invadida por los agentes, quienes se detienen a interrogar posibles testigos e intentan desentrañar, alguna pista que los conduzca al esclarecimiento de los hechos.

—Estaba sentada en el sofá del lobby, cuando vi a unos señores muy extraños acercarse a la entrada del hotel —declara Madame Colbert muy nerviosa, al tiempo que cubre parte de su boca con un pañuelo de seda blanco.

En la reticencia de un ambiente oscuro, todos los huéspedes han recibido ocho sobres negros idénticos a los encontrados en el penthouse de la doctora Harden y aquellos que ya los han abierto, coinciden en que en todos se revela el nombre de Frederick Duboix.

—¿Detective Duboix?

—Sí, soy yo.

—Soy la oficial Juliet Durant de la Unidad Federal Antiterrorista de la Policía Nacional. Debemos hacerle algunas preguntas relacionadas con el caso de Luisa Harden —explica la oficial, mostrando su identificación con la mano izquierda.

—¡Vaya, llegaron los federales! Señores, ¿no les parece que sospechar de un atentado terrorista es caer en el juego de un morboso asesino?

—No hay asesinato todavía detective, a menos que usted sepa algo que nosotros no. Solo tenemos un cuerpo colgado del techo. Y también tenemos doscientos ochenta y ocho sobres idénticos con su nombre escrito dentro de ellos. No sé si está al corriente de eso.

»Cada carta contiene una letra que de manera aislada parece no representar nada, pero que se complementa junto con las letras de las otras cartas en una atemorizante frase, posiblemente dirigida hacia los inquilinos del hotel: "sigues tú". ¿Tiene algo que decirnos al respecto?

—Juliet, lo que tengo que decirte es que justo ahora podríamos tener a un asesino en este hotel intentando cobrar otra víctima mientras tu y yo, seguimos jugando a ser "Sherlock" —responde Duboix en un intento apresurado por terminar la conversación.

—Y ese asesino podría ser cualquiera, incluso usted.

—¡Maldición!, ¿me estás acusando Juliet?

—No, detective. Pero tendrá que dar explicaciones sobre este video en el cual se lo ve entrando al hotel veinte minutos antes de la hora del deceso. ¿Enseñan clarividencia en la unidad de homicidios? —argumenta Juliet al mismo tiempo en que muestra la pantalla de su smartphone a Duboix—. ¿Conocía usted a la víctima?

—No sé de qué hablas. Llegué primero a la escena, luego del llamado de la central, por ser la unidad más próxima a la ubicación del hotel. Podrían estar manipulando los videos, o acaso en la cabeza cuadrada de la unidad antiterrorista, ¿esa posibilidad no existe?

—Sí. De hecho, todo parece indicar que los videos han sido manipulados. Y con respecto a eso, una testigo afirma haberle visto entrar al cuarto de cámaras del hotel a las siete y quince de la noche. ¿Qué hacía allí Duboix?

—¿Quién es esa testigo?

—¿Ahora debemos revelarle a un sospechoso la identidad de un testigo? Hábleme de la mochila negra que llevaba en su mano. ¿Qué contiene esa mochila? —insiste Durant, inquisitiva—. Además, hábleme de esta foto en donde se lo ve a usted saliendo hace dos noches de un restaurante con la doctora Harden. Detective, le repito la pregunta, ¿conocía usted a la víctima?

—¡Esto es pura basura!

—Creo que las cosas no están para que elija ocultar respuestas, a menos que desee hablar en la comandancia.

—Primero, acusaciones y ahora, amenazas. Espero que sepas lo que estás haciendo.

—Detective Duboix, entenderá que debemos relevarlo de la investigación y llevarlo a custodia preventiva. Acompáñenos por favor.

Para mantener el hermetismo, Duboix es retirado por la puerta trasera del restaurante con rumbo a una celda especial en la Comandancia General de la Policía a unas diez largas cuadras del hotel. De momento, la lluvia se hace presente y Juliet no está para nada cómoda con la detención del detective. Las razones son justificadas para evitar la interferencia de un sospechoso al mando de una investigación por posible amenaza terrorista. Se presume cualquier contenido para la mochila, incluso los sobres misteriosos, con la agravante de que mintió de manera deliberada con respecto a su relación con la víctima.

Frederick Duboix, un antiguo experto en explosivos de la Surête Nationale, estaba siendo investigado por asuntos internos bajo las sospechas de cooperación con grupos terroristas argelinos durante los ataques a los Campos Elíseos en 2017. Juliet estaba tratando de hallar una conexión entre Duboix, la doctora Harden y estos grupos terroristas y hasta el momento, no la había podido establecer. De Harden, solo se conoce que poseía un doctorado en Bioquímica por la Universidad de Johannesburgo y se encontraba en París para dictar una conferencia sobre bioterrorismo como invitada del Ministerio de Salud.

Dos horas y media han pasado desde que la camarera halló el cuerpo de la doctora.

Ahora, Juliet ha sido llamada al lobby del hotel.

La unidad contra explosivos halló la mochila negra en el techo de uno de los elevadores, por lo cual el edificio debe ser evacuado de inmediato. Es cierto que con la evacuación el asesino podría escapar camuflado entre la multitud, no obstante, la vida de cientos de personas debe ser resguardada.

El protocolo de evacuación se cumple para la entera satisfacción de los huéspedes, así como el establecimiento de un perímetro de seguridad de tres cuadras alrededor del hotel. Al mismo tiempo, el equipo antibombas se aproxima al objetivo. El ascensor es desactivado y el descenso del especialista de las Fuerzas de Acciones Especiales comienza desde las poleas del elevador con extrema precaución. Las luces parpadean al interior de la cavidad y hacen que la visión sea limitada. La humedad es abundante, mientras que en las afueras del perímetro de seguridad un puñado de periodistas, transeúntes y curiosos, anhelan una señal que desentrañe la espectacular noticia.

El especialista ha llegado a la mochila.

Sus tensas y sudorosas manos enguantadas se pasean tímidas ante la decisión de aproximarse a la brillante cremallera, no sin antes esconderse detrás de la verificación del arnés de seguridad.

Duboix se encuentra aislado. Desesperado, pide a gritos que se le deje salir, pero no va a ser oído hasta que se aclare su relación con los hechos. A pesar de esto, golpea los barrotes, se declara inocente gritando que hay un error que ahora no puede explicar.

La prensa habla de asesinato y de un posible artefacto explosivo en el hotel, por lo que el gobierno francés ha iniciado conversaciones diplomáticas con su homólogo argelino. Células terroristas habían sido detectadas en Francia desde 2005 y se presume que algunos cuerpos de seguridad están infiltrados.

Mientras tanto en el hotel, la mochila es abierta y ocurre lo inesperado.

Un millón de Euros en efectivo es trasladado por la policía al laboratorio forense.

Juliet solicita interrogar a Duboix de inmediato ¿Por qué entró al hotel con esa cantidad de dinero?

Es muy tarde.

Duboix es hallado ahorcado en su celda. A sus pies yacen ocho sobres negros similares a los de aquella misteriosa correspondencia del hotel, aunque esta vez, el nombre mencionado en las misivas es el de Didier Harden, el hijo de un año no reconocido por el desafortunado detective.

Luego de algunos días, el teléfono de Duboix fue analizado por la policía.

Las comunicaciones realizadas por el detective revelaban su relación sentimental con la doctora Harden desde hace aproximadamente cinco años.

Por otra parte, un comunicado público del grupo terrorista Inmortalidad de Argelia, se atribuyó los asesinatos por negarse a colaborar con el desarrollo de un agente bioquímico para la causa terrorista, por lo que el hijo de ambos había sido secuestrado.

Duboix debía pagar un millón de euros a un contacto conocido como Janeth.

Un virus letal y muy contagioso ha sido inoculado a través de los doscientos ochenta y ocho sobres misteriosos.

MIMA

La Habana siempre será ese lugar en el que quiero vivir porque añoro la elegancia de sus fiestas, el oro, los banquetes y la Jupiña de la Casa de Sarrá. El Morro, El Gran Teatro o cualquier otra cosa que me haga feliz en el Malecón habanero.

Un beso del mulato Juan Jesús. Un teatro a reventar.

Ciudad encantada en la brisa de rocas mojadas que todo lo abraza, incluso a mí.

En cambio, en Villa Blanca todo es distinto.

Mi padre es un curtido pescador de escamas al noreste de la perla. Un corcho pequeño de quince pies de eslora es todo lo que tenemos para que me certifique como contadora en la Cámara de Comercio de Camagüey. Cinco centavos por una cherna de alta calidad, apenas nos da para el puerco de todos los días o para carajuelos. El viejo no puede perder plomada y la oportunidad lo hace pescar con la vida colgando en cada anzuelo.

Se arriesga a morir ahogado por nosotros y por Mima, aunque hoy todo es felicidad: el corcho viene completo. La arena de la playa se transforma al vaivén de las olas para encubrir mis deseos, al mismo tiempo en que desaparecen las huellas sobre ella. Una felicidad vestida de trapos harapientos y sueños truncados por húmedos paños de red y aunque siempre hemos vivido así, quiero irme para La Habana.

Desde el fondo, en el horizonte, vemos el corcho a media agua y la tía Ángela cierra la puerta.

¿La verdad? Ya estoy obstinada de esa vieja zorra.

Siempre que se acercan las fiestas, me escudriña para saber si Juan Jesús me ha invitado al concurso del carnaval de verano. El año pasado ganamos el segundo lugar, y claro, mi padre hizo la fritanga de pargo con verdura. La elocuente arribista no perdió tiempo para salir como perro que tumba la olla y traer la cacerola de ostras, buscándole la vuelta a mi Juan Jesús. Uno más uno son dos aunque vaya por libre y la historia de sus calenturas no es nueva, ¡si lo sabré yo!

En nuestra casita de madera a orillas del salitre, no caben más bocas.

Desde que los saqueadores aparecieron por la costa, la tía Ángela se bajó en los corchos a cuanto bicho se le apareciera con media garrafa de ron y un balde de cangrejos. Las carcajadas serviles le terminaban en una tos ahogada, de esas que se ausentan porque ya no pueden más.

El viejo sabe que ella anda en pasos alegres, pero no le quiere llevar la contraria a Mima. No lo culpo. También sabe que no come más si se faja con la cuñada y un pescador de estos corchos tiene que aplomar todos los días.

Las redes de los saqueadores son muy grandes y arrastran a cuanto animalito se mueve por el agua. Se pasean con sus grandes barcos, navegando sobre la vulnerabilidad de las embarcaciones más pequeñas y sobre los miedos de los que necesitamos alimentarnos del mar. Después quieren venir a vendernos la mojarra como si la sacaran en los japones.

Gracias a Dios, hoy es distinto.

Ya iban tres semanas desde que el viejo se nos venía a menos de medio corcho y en la casa somos cinco. Mima y yo, nos echamos un paseo por la casa de los Suárez y recogemos las redes dañadas para hacer los chinchorros de cuerda que luego serán vendidos en la comparsa. Un trabajo duro siempre que los paños de red se enredan con cuanta cosa tiren los pescadores. Aparte del hambre y la frustración de los costeros, lo que más pesa es una red olvidada.

Alvarito, mi hermano mayor, se va con mi papá cuando lo dejan, porque Mima ya le dijo que vaya buscando estudios en la capital. Es el escogido para los libros pues para Mima, yo debería casarme con Juan Jesús. Y de última, dejo a la vieja zorra de la tía Ángela, quien limpia hoteles de la zona, además de limpiar los bolsillos de los turistas de paso.

¡Ojalá San Lázaro me haga el milagro y me case con Juan Jesús!

Un hombre de bien, echado para adelante y con ganas de montar un comedero bajo el sol ardiente de Gibara.

El Tres de Matamoros se abre paso sobre los callejones de Villa Blanca, mientras que consigo trabajo como ayudante en la botica. Los tuberculosos buscan el calcio y son veinte pesos por cada inyección para Barbarito, el botiquero. Ya vi como afinca la aguja, pronto comenzaré a cobrar diez. Barbarito me observa. Me enseña. Puedo cobrar quince.

En dos meses será el examen en la Cámara de Comercio. Luis, el papá de Juan Jesús, tiene un contacto en el Banco de Camagüey. Si apruebo el examen, voy de contadora aunque Juan Jesús insista en montar el comedero.

Pasivos, activos y capital. Bonos, deuda e intereses.

Las noches se me van detrás de números que los corchos tostados por el mar no entenderán jamás. Mima prepara la jarra de café y la tía Ángela aprovecha mi cuarto para colarse las patas.

Juan Jesús está pensando en mí, lo siento en el cosquilleo de mi cuello y en la rabia de perra celosa de la tía Ángela.

Esa señora debería saber que yo no soy de hierro. En Villa Blanca las mulatas se prenden en candela y esta, aunque pasadita de edad, ¡vaya!, se le huele la experiencia por encimita. No quiero caer en la tentación, pero la última vez que visité a Rosita, la muy sinvergüenza me picó el ojo. ¡Qué cosa tan loca mire usted, y eso que son familia!

Rosita anda con el tema de que se va para Camagüey a trabajar con números y eso no va conmigo. Vivo muy bien con las juntas de vehículo. Las hacemos con los materiales que sacamos de la galletera y de la estación del tren. Por un lado, la galletera Paloma del Castillo es de un gallego que tiene tiempo en la isla. Alvarito mi cuñado, saca a hurtadillas las latas de galleta, las cuales picamos al cuidado del martillo y del cincel para hacerla una hoja de latón plana. Luego, está el amianto que robamos de la estación ferroviaria por las noches de fin de semana, cuando los cuidadores se emborrachan con el ron de a peso y las guajiras improvisadas.

Lata, amianto y lata. Lata, amianto y lata. Son treinta pesos por junta.

Cuando nos quedamos sin amianto, las ofrecemos de cartón. No se pueden mojar, pero aguantan hasta tres meses. ¿Qué tanto número hace falta para eso? Pero Rosita, no lo entiende.

¡Vaya que así es la vida en la Cuba de Fulgencio Batista!, porque la cosa está dura para andar pensando en el Banco de Camagüey. Menos mal que ya se escuchan aires de revolución por los lados de la Sierra. Las cosas tienen que cambiar y yo, ¡vaya!, montaré mi comedero en Gibara, ¡mira tú, mojarra frita con boniato! ¡le ronca el mambo, caballero!

A estas horas de la noche no pasan guaguas. Pero Chichí me debe dos juntas y le voy a pedir que me lleve para la casa de Rosita. Imagino que están dormidos y me toca virar para allá antes de que el viejo encienda el corcho.

Son la una y las luces de la casa ya están apagadas. Lanzo la piedrita a la ventana del cuarto para que la vieja salga. Me traje una manta y un Paticruzado a medio empezar.

La vieja sinvergüenza sale por la ventana. Espero que Rosita no se dé cuenta.

Me quedé dormida encima de las páginas del libro. No me cerró el balance.

Así no podré aprobar el examen. He escuchado un extraño ruido afuera de la casa. El viejo está dormido también y no lo quiero despertar por lo que seguro resulta ser el perrito de Nina, la vecina de la casa Bruzual. Levanto la mejilla de la vieja mesa del comedor y los surcos de la madera se han marcado sobre mi rostro. Quito la barra del seguro de la puerta de latón. No hay mucha luz afuera y camino despacio para que nadie despierte. La noche ahora está completa y el mar tiene su ritmo propio. El improvisado muelle me observa, como pidiendo que me devuelva a la luz de un peligro que no soy capaz de observar.

Miro hacia el corcho y veo que se mueve de manera inusual porque las olas van en otra dirección. ¡Tengo que llamar al viejo!

La pestilencia a ron barato me indica la presencia de algún borracho.

Me aproximo cautelosamente hasta levantar una mugrienta manta con mi mano derecha,

¡Mima! ¿Por qué tú? ¿Y con Juan Jesús?

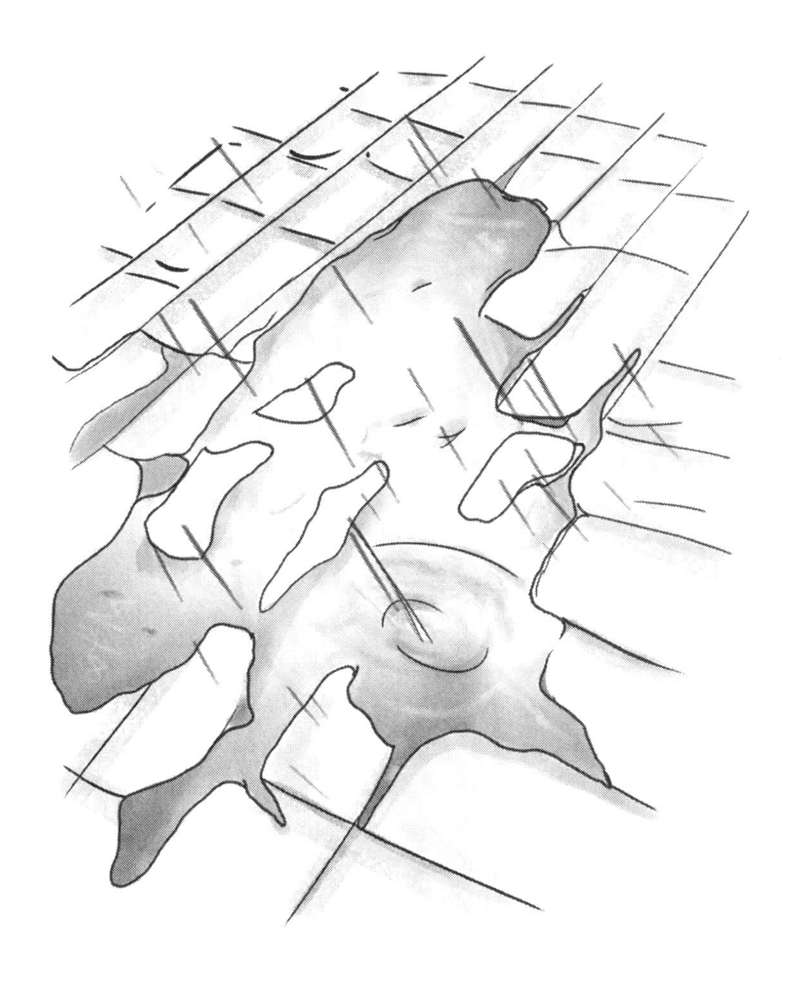

La conversación de las lágrimas

Parece un día perfecto para conversar con las lágrimas pero ante la abundancia de su majestuosa cabellera algodonada, he decidido permanecer esparcida, impávida, imperturbable, a la espera del aliento que inspira todo lo que siento hasta ahora. Su presencia me llama, me seduce para dejar de ser todo lo que soy por su culpa, para volver a ella como impulsada hasta el cielo y todo a través del calor de su mirada.

Debo confesar que a pesar de mis años y de los suyos, siempre me ha hecho flotar de esta manera.

Es su fuego despiadado el que me hace hervir de deseo por dentro. Lo transforma en mil pedazos, los envuelve con sus brazos aterciopelados en donde soy feliz no solo porque ahora estoy con ella, ni porque he encontrado una razón para volver a comenzar, sino porque he vuelto a ser de ella. Mis ganas se han calmado al condensarme dentro de sus pechos fríos, húmedos de tanto tocarlos con el éxtasis de cada llegada.

Entonces, las lágrimas copiosas de tanta emoción ceden a su encuentro y no quieren conversar más. Aferrarme a su vida es la única opción para seguir respirando al cielo con todo mi ser, en una melodía que florece de amor profundo, de historias que por gastadas no terminarán jamás.

Pero la realidad es que ella ha sido amada hasta no querer más. No quiero su lástima.

No soporto verla llorar de hastío ante mi presencia, porque en cada lágrima expulsada corre mi dolor de perderla en aguaceros descontrolados de amor profundo. Ella podrá empujarme mil veces con su rechazo y yo me seguiré amando sola, sabiendo que volveré a tenerla aunque otras la hayan hecho olvidarme.

Mi caída no sabrá decir adiós.

El dolor me tensará desde todos lados y desde ninguno al mismo tiempo.

Lo que llevo adentro es más de ella que de mí y eso tiene que seguir siendo así. El golpe me hará vivir de otra forma, en otra flor para llorar y hasta con otras lágrimas perdidas en los mares de la soledad. Caeré para esparcirme en borbotones desconsolados, alimentando la esperanza de los que esperan absorberme en las profundidades de su sed infinita.

Parece un día perfecto para conversar con las lágrimas acerca de todo lo que ha sido ella para mí. Al final, en mi corazón siempre habrá espacio para conversar pero nunca para olvidarla. No será fácil convertirme en el llanto de paso o en el río que sigue su cauce como si nada hubiese ocurrido. El vacío también se desborda en la sentencia de aquellas lágrimas que brotan y también de las que se esconden, de las que sufren y también de las que terminan como nosotras, separadas por mundos distintos y condenadas por lo simple de su existencia.

Fui de esa nube blanca y aunque ahora corro fluida sobre los suelos de la eternidad, volveré con más lágrimas para encontrarla.

Sin sospechar a la muerte, habían sido muchos los libros abiertos aquella tarde de biblioteca.

La inminente evaluación del día siguiente se afincaba sobre mi cuello con la insistencia de un cuchillo sin filo. Los costos industriales se habían hecho esquivos para mis propósitos y no quería perder la última oportunidad de aprobar una asignatura que limitaría mis posibilidades de concluir el año con éxito.

Observé el reloj en la pared y pude notar que algo no estaba bien.

—¡Mierda, son las cinco de la tarde! —alcancé a gritar entre dientes, casi al mismo tiempo que la voz del residente bibliotecario se clavaba sobre mi imprudencia.

—¡Silencio, por favor!

Apresurado, tomé mis cosas y las coloqué en la mochila de cualquier forma. Una botella de refresco que no alcancé a tirar en el reciclaje terminó en el fondo con mis libros. Sin perder ni un segundo más, corrí por los pasillos de la facultad de ingeniería al encuentro del único transporte disponible que me llevaría a casa ese día.

O al menos, eso pensaba yo.

Era la tarde del miércoles 15 de febrero del año 2006 cuando cumpliría cerca de veinticuatro horas sin dormir. Vivía a unos cuarenta kilómetros al noreste del estado, una distancia casi imposible de alcanzar a pie para un cuerpo tan cansado. Mi amigo Virgilio había dejado varias notas de voz en mi viejo teléfono, las cuales no había podido contestar por encontrarme en la biblioteca.

"¿En qué fiesta andará este loco?" pensé, mientras devolvía el teléfono al bolsillo delantero derecho de mi blue jean gastado por el rigor de los pupitres estrechos.

Virgilio era un hombre de estatura promedio, paso peculiar y de ocurrencias muy significativas. Lo conocía desde primaria. Habíamos compartido salones de clase y novias también. Aunque decidió no asistir a la misma universidad que yo, su sueño de siempre fue comprar una gran camioneta negra, de esas con mucha tracción y poco silencio. Trabajaba mucho y al final, celebramos su logro por casi tres días seguidos. No obstante, no todo era felicidad.

También tuvimos fuertes discusiones debido a su descontrolada imprudencia.

¿A quién se le ocurriría cortar el cinturón de seguridad de su camioneta solo porque le molestaba al conducir?

—¡De algo nos tenemos que morir! —contestaba refunfuñando al mismo tiempo en que mutilaba el cinturón en cualquier dirección.

No había forma de detenerlo, porque ya ves que Virgilio es así.

Lo cierto es que tuve que correr mucho para alcanzar mi transporte que ya había salido. Recuerdo el gesto irónico del conductor del autobús quien, a pesar de verme por el retrovisor, fingía no hacerlo y aceleraba con malicia perniciosa, haciendo que se alejara la única oportunidad de llegar a casa esa noche.

—¡Maldito Ramón, espérame! —le grité y le arrojé todo lo que tenía en las manos.

Y todo lo que tenía en las manos incluía una vieja libreta de espiral que no había alcanzado a guardar en la mochila y que fue a parar sobre la verde carrocería de aquel autobús, el cual se perdió en la salida hacia la autopista. La unidad número diez de una mermada flota que transportaba sueños, pero también hambre y manos estropeadas por la inclemente madera de los lápices rebeldes ante la crueldad de la ignorancia.

"Perdí mi transporte, esto se va a poner muy mal", pensé.

Pasaron veinte segundos aproximadamente hasta que pude recuperar la respiración y enderezar mi cuerpo, aunque no así la moral. Estaba destruido.

Sin una moneda, en los bolsillos solo tenía el teléfono y los desechos del sacapuntas, los cuales colocaba allí temporalmente para no pararme y perder mi silla en la biblioteca.

Caminé desmoronado unos treinta pasos hasta un peralte de asfalto que sobresalía de la caminería de la vía. Me senté para tratar de tomar una decisión acerca de la larga noche que me aguardaba. Debía asegurar mi descanso antes de la evaluación.

—¡Ramón, púdrete en el infierno! —gritaba impotente mientras cerraba mis ojos para reflexionar.

Cuando desperté, me di cuenta de que seguía sentado. Había pasado una hora. Ahora, la impertinente lluvia se encargaba de hacerme saber que no me quería más allí. Evaluaba la posibilidad de pasar la noche en el lugar de la evaluación. El auditorio cinco de la facultad, el cual estaba aclimatado. Tenía que asegurarme de estar despierto a primera hora de la mañana, además conocía a Fernando, el vigilante de esa zona y a su perro Pintas, mejor conocido como "el perro come mango" ya que resultaba muy llamativo verlo ladrar de gusto ante la presencia de la tropical fruta.

Tomé la mochila, me la coloqué en la cabeza en un intento inservible de protegerme de la ya intensa lluvia y me levanté para caminar hacia el edificio. Al momento de cruzar la calle, unos faros incandescentes se acercaban a mí a una gran velocidad. "Debe ser la policía", pensé sobresaltado.

Para ese entonces, las protestas en la universidad se habían intensificado y las autoridades habían decidido realizar patrullajes nocturnos para evitar la aglomeración de personas que dieran pie al inicio de nuevas protestas, ya que eran incitadas por factores políticos violentos.

Traté de mantenerme inmóvil hasta que la patrulla se acercara y evitar así dar falsas sospechas. Sin embargo, justo en el momento en que el vehículo se detuvo frente a mí, la mochila mal asida por mis mojadas manos se abrió y dejó caer algunas cosas, incluida la botella de refresco vacía.

Estaba en graves problemas.

Estas botellas eran utilizadas por los manifestantes violentos, para construir las famosas bombas molotov que se arrojan sobre las patrullas para hacerlas retroceder.

Al parecer, conseguiría un sitio en el cual pasar la noche y también un motivo para perder mi evaluación: una fría celda del destacamento dos, en la cual pasaría no menos de setenta y dos horas mientras se realizaban las investigaciones.

¡Lo que me faltaba para redondear la ya maltrecha noche!

Confieso que en lo único que atiné a pensar fue: "¡Ramón, púdrete en el infierno!"

El vehículo bajó la velocidad.

Se aproximaba a mí como un cazador que sabe que tiene a su presa. De forma disimulada traté de empujar los restos de la botella con el pie para evitar que fuera vista por el policía, o para inculparme más. Los nervios y el cansancio pueden crear muchas cosas que generalmente juegan en nuestra contra.

El vehículo se detuvo.

Aumentó la potencia de sus faros.

Intenté cubrirme los ojos con el antebrazo, giré la cara de medio lado y fruncí el ceño tan fuerte como podía para eludir la agobiante incandescencia.

Luego, vi como una persona abrió la puerta y gritó:

—¡Coño e' tu madre!

Jamás una mentada de madre había resultado tan tranquilizadora para mí: ¡Era Virgilio!

Así era el cariño que nos teníamos.

Corrí como un niño perdido que encuentra a su madre y lo abracé y le besé la frente. Ese desquiciado, sin saberlo, había llegado a mi rescate.

No pasaría la noche mojando la mochila, ni en el auditorio cinco con Pintas, ni en una celda con cualquier bandido, ni en la cama con la esposa de Ramón. Iría a mi casa a tomar una ducha caliente, a alimentarme y a descansar en mi cama.

Cuando alguien me pregunta qué significa la suerte para mí, le hablo de Virgilio.

Una vez en la camioneta, Virgilio me comentó que se preocupó mucho porque no respondía a sus llamadas. Le conté que había pasado largas horas en la biblioteca y que allí no podía responder. Además, le hablé del malnacido de Ramón.

—¡A ese carajo tenemos que darle unos coñazos! —replicó exaltado.

Y sí. No podía contradecirlo.

Por el momento, me dediqué a platicar con mi amigo, ya que teníamos cuarenta kilómetros por delante para divagar sobre las mujeres, el último juego del Barcelona o el viaje a la playa que teníamos pensado. Todo esto, dentro de las veinte mil oraciones de agradecimiento.

Virgilio me contó que había pasado todo el día arreglando su camioneta porque tenía algún desperfecto.

—Es un sonidito raro ¿lo escuchas?

—No, esa debe ser la correa que ya te toca cambiarla.

Me pidió que colocara un CD de nuestra banda de siempre y que le había regalado en su cumpleaños. Me apresuré a buscarlo, pero no lo encontraba.

—¿Dónde está el CD?

—Búscalo debajo del asiento.

—Aquí no está, pajúo. ¿Quién te lo habrá quitado?

Riéndose a carcajadas, dijo:

—¡No vale, si esta mañana lo puse cuando estaba arreglando la camioneta, seguro que está debajo de mi asiento!

—No vayas a agacharte, estás manejando y está lloviendo.

Pero ya ves que Virgilio es así.

Y se agachó mientras yo intentaba sostenerle el volante desde mi lugar de copiloto.

De pronto, una explosión en la parte delantera derecha de la camioneta nos hizo retumbar.

Una llanta había estallado y la camioneta comenzó a girar y a dar vueltas, en parte por el pavimento mojado y en parte porque Virgilio es así.

Traté de agarrarme de cualquier cosa. En fracciones de segundos vi una película de mi vida que terminaba con un sonoro "¡Ramón, púdrete en el infierno!"

El cinturón de seguridad había sido cortado por Virgilio y, en consecuencia, volé por los aires y atravesé el parabrisas de la camioneta. Caí sobre la vía, golpeándome la cabeza contra la defensa de la autopista.

Todo se apagó.

Luché violentamente para mantenerme dentro de mi cuerpo sobre el húmedo asfalto, pero sentía que la lluvia me expulsaba hacia los cielos con una fuerza infinita.

Un taxista que venía detrás de nosotros se detuvo para evitar que los demás vehículos me pasaran por encima. Solo pude levantar la mano en señal de que seguía ahí tirado.

La sangre estaba por todos lados.

Mi mochila, extraviada. Mi evaluación, perdida. Mi amigo estaba en cualquier parte dentro o fuera de la camioneta. Mi vida, a punto de dejarme, como me dejó aquel destartalado autobús que más temprano traté de alcanzar con todas mis fuerzas.

Hay cosas que no se pueden evitar y la muerte es el ejemplo predilecto y lugar común de las historias abandonadas. Sin embargo, estar tirado sobre el asfalto sin mayor esperanza me hizo entender que sí, que la vida posiblemente ha terminado, pero mi historia no quedaría en el olvido de una banda de rodamiento, así como tampoco terminaría mi amistad con Virgilio.

Es mucho lo que se podrá decir de la imprudencia humana y mucho también de los valores que la vida te enseña. Por eso, pedía en los últimos minutos que se me permitiera despertar y despedirme de mi familia. De mis amigos. De mis sueños. No había más esperanza que un milagro.

El cuerpo ya no me pertenecía y la luz al final del túnel comenzó a aparecer. Una luz muy brillante que quemaba mis ojos y los rompía en mil pedazos.

Pero ¿cuánto pueden importar unos ojos rotos, si la vida ya se estaba perdiendo en migajas?

Aun así, los cerré con todas mis fuerzas, hasta que oí una estridente voz sobre mi cabeza:

—¿Señor, qué hace aquí?

Repentinamente desperté y vi la fuerte luz de una patrulla de policía que me bañaba con intensas ráfagas de azul y rojo.

Estaba todavía sentado en el peralte de asfalto que la vida decidió regalarme, luego de que aquel autobús me dejara y sobre el cual maldije a Ramón tantas veces.

Varias horas transcurrieron y ahora la policía, luego de contarle lo sucedido, me llevaría empapado a mi casa a reencontrarme con mi familia.

¿Era un milagro o una oportunidad para despedirme? No lo sé.

La confusión de haber sufrido semejante pesadilla, me llevó a sacar mi teléfono del bolsillo para contarle a Virgilio la locura de sueño que había tenido.

Al otro lado del teléfono, contestó una mujer:

—¡Hola, buenas noches!

"Este bandido estaba en algunas de sus andanzas", pensé.

—¡Llamaba a Virgilio, pero no se preocupe, le llamo después! —dije a la elegante voz femenina.

—¿Tú eres familia de Virgilio? —replicó la sexy voz femenina.

—Sí, soy su hermano —contesté.

—El señor Virgilio tuvo un accidente en su camioneta. Al parecer explotó una llanta y su vehículo volcó en la autopista.

Le estamos hablando desde el Hospital Central donde falleció. Lamentamos darle la noticia de esta forma...

Y en ese justo momento el teléfono cayó de mis manos, como cayeron las últimas esperanzas de aquella noche. De nuevo sentí como mi alma se desprendía, porque en la vida uno puede intentar morir varias veces hasta que realmente está muerto.

Todo empezó o terminó aquella noche. Es difícil saberlo. Pero, de dos cosas sí estoy seguro: una, que la muerte no es definitiva y dos, de que algún día Ramón se pudrirá en el infierno.

Escuché un disparo en la habitación.

Golpeo el sillón con ambas manos y me levanto asustado. La espera ha sido mucha. Ludovico me ha rehuido desde que regresé para rescatarlo.

¿Y ahora esto? ¿Hasta dónde un hijo puede ser independiente sin que su padre se sienta culpable?

—La maté y cerré la puerta —dijo Ludovico desorbitado, luego de arrojar el arma homicida manchada de angustia sobre la alfombra—. Veo que aún no te has ido, a pesar de que me dejaste solo.

—¿Y por qué debería irme? ¡Los espejuelos los rompiste tú cuando decidiste arrebatarle la vida a esa mujer! —grito exaltado y trato de calmarme. Pienso, que quizás es mejor bajar el tono de voz y tomar el control de la situación—. Yo, en tu lugar, no lo hubiese hecho de esa manera, pero entiendo que el pasar del tiempo y mi ausencia, te han enseñado a equivocarte a tu manera.

—¿En qué lugar está escrito que ahora debería hacerte caso? Vienes solo cuando te provoca. Por cierto, me abandonaste a minutos de haber nacido, producto de tu violación a esa harpía mentirosa, ¿o se te olvidó eso?

—¡Ludovico, no insultes así a tu madre! ¿Qué sabes de la muerte si apenas has nacido? ¡Imberbe! Luchas con tu propio ego desde los esperpentos de un abandono necesario. Nunca tuviste el derecho de tenerme a tu lado. No podía quedarme allí y lo sabes. Entraste a esta casa para matar a Grace, la mujer que te dio de comer cuando tus pasos eran todavía inciertos. ¿Qué clase de mierda hace eso?

—Piénsalo tú. ¿En qué clase de mierda me convertiste?

—Traté de evitarlo y por eso sigo aquí, preguntándote y preguntándome: ¿En qué fallé? El cuerpo está ahí tirado. ¿Y ahora qué hago con eso?

—No debería preocuparte. A ella la abandonaste primero que a mí. Podrías abandonarla otra vez y que la vida siga su curso. Yo seguiré haciendo mi parte, mientras que tú seguirás escondido como el cobarde que eres. Detrás de tu protección, están mis ganas de acabar con esta historia. Mátame si la valentía te da para tanto.

Ante el reto, me llevo las manos a la cabeza.

Ludovico tiene cierta razón, aunque no lo aceptaré jamás. En las postrimerías de su infundado juicio, están mis ganas de mandarlo todo al carajo, incluyéndolo a él. Jamás le perdonaré lo que hizo con Grace. ¡Por Dios, era su madre!

Es cierto que nunca la quise, pero no fue una violación. Fue solo sexo apasionado en el cual un "no", se convierte en un "sí". Solo que el "sí" no fue tan explícito.

La usé para luego huir, pero por otras razones que a ese inepto no le incumben.

Sé lo que piensas. También soy una mierda.

Pero soy una mierda de distinta clase. Yo, no la maté. ¿O sí lo hice?

—Ludovico, te propongo un trato. Te permitiré escapar a tus anchas. Vivir la vida que quieres y dejar de ser un psicópata atormentado por el destrato de tu infancia. Te ofrezco una segunda oportunidad.

—¿Una segunda oportunidad? ¿Qué deseas de mí? ¿Quieres que te mate a ti también?

—No, Ludovico. Lo merezco y eso lo tengo claro. Pero algún día entenderás que resucitar a tu madre es lo más conveniente para ambos. Tengo el poder para hacerlo. De esta forma, tú podrás continuar sin la culpa del cruel asesinato y yo me libraré de la culpa de ser el padre tardío de una bestia que no debió nacer.

—Entonces, ¿me vas a dar la oportunidad de matarla nuevamente?

—Muchacho, eres un malnacido. Pero un malnacido, al menos, interesante. Tu frialdad me obliga a contar la historia de un odio infinito y a mostrar además mi desesperanza de padre afligido.

Luego de esta conversación, me devuelvo al sillón del cual no debí haberme levantado.

Ludovico Alcántara, el personaje principal de mi novela, podrá fortalecer ahora su perversión en la locura de un drama desbordado por las ansias de venganza.

¿Quién podía imaginarse que el gran legado del capitán se convertiría en algo inexplicable?

Un punto en un mar de puntos. Esa debería ser la respuesta esperada por algunos.

Pero la realidad es que, a pesar de que su soberbia fue condenada a vivir por siempre en las mazmorras del olvido, el capitán tenía un genuino concepto de humildad que escapaba a la lógica de cualquier recién navegado. No en boca de su propia tripulación, ni tampoco bajo el lente de los catalejos de paso. Eso sería desbordar lo preciso y lo exacto, algo que no le perdonaría su ya cansado sentido de la oportunidad.

¿Pero realmente cuántas cosas pueden ser precisas o exactas dentro de un mundo que cambia todos los días?

¿Cuántas cosas pueden ser precisas o exactas dentro de un universo al que no le conocemos límites?

¿Cuántas cosas pueden ser precisas o exactas en este menjurje de morales tan relativas?

¿Cuántas cosas pueden ser precisas o exactas, en un mar que decide a su antojo el futuro de las embarcaciones de la Península de Hierro?

De babor a estribor, danzando al ritmo de las ondulaciones estrepitosas de la tormenta, aquella decisión de agosto del año 486 llevó al capitán a dejar de ser quien era, porque tanto la verdad como el mar tienen el poder universal de transformar la vida de un navegante. De esta forma, el timón puede moverse en un flujo eterno de verdades a medias y de mares infinitos.

El olor a madera salada, zunchos de hierro oxidados y cerveza derramada, acompañaba a todos a pensar: "¿Quién fue el capitán?", en una forma apropiada a la épica de aquellos bares peninsulares.

Y esa respuesta parecía muy fácil de elegir, en tanto que el capitán fue un náufrago de sus propias convicciones.

Haber nacido con la claridad de querer navegar algún día sobre las aguas perdidas le llevó, por ejemplo, a ejecutar a dos de sus patrones y a su almirante. La excesiva eslora de su ambición no le permitía margen para cometer error alguno. Pero la contradicción hizo de esta, una causa encallada en las aguas turbulentas que expulsa a todo aquello que quiera ser mejor que otra cosa.

La gran galera Astronarda, la de las mil tormentas.

La gran galera que reunía a los niños en el muelle, mientras esperaban con inocencia el zarpado de sus sueños presenció, aquel agitado día de agosto, el motín que empujó al capitán hacia las costas de cualquier isla olvidada, como consecuencia del mar rebelde que jamás tendrá un valor real para los obnubilados por el tesoro de Muff el Pirata.

La tripulación había decidido poner fin a aquella disparatada empresa, que llevaría a Astronarda al fondo del azul profundo y que con toda seguridad, los arrastraría junto con ella.

Desde la crujía y al filo del primer cañón, el fiel amigo del capitán, el vicealmirante Vint, gritó:

—¡Salte ahora capitán!

Y a pesar de que la partitura de su vida siempre se escribió sobre la base de la lucha sin tregua, la dignidad del capitán se vio encarcelada por el miedo a ser ejecutado sin derecho a perdón por aquellas manos ásperas, corroídas en los nudos de velas asfixiadas y en las astillas de los viejos mástiles de Astronarda. No obstante, situaciones como estas fueron el común denominador de muchas de las historias de alta mar en la Península de Hierro. La única diferencia radica en que, como en aquel mar agitado por la euforia de los arremangados de agosto, el miedo le enseñó al capitán a convertirse también en un náufrago de su propia embarcación.

Para el capitán y también para Astronarda, nunca más se tratará de lo que significó el tesoro de Muff el Pirata, ni de lo que quedará en la memoria peninsular, sino de lo que a partir de ahora serán capaces de ser gracias a la rebeldía de los arremangados.

POCATERRA

Abordé la caravana sin sospechar que aquella tarde de marzo de 1918 terminaría la historia de todos mis regresos. Con gabardina negra ajustada, la cima alta y el ala amplia elevada hasta la testa de mi señorío, avancé con la imponencia de aquel que aparta multitudes al caminar. Porque al final de todo, soy el dueño de Pocaterra. Comandante en Jefe. General. Señor de señores. El patrón pues, como dirían en la Casa Cristal, la sede de gobierno de un pueblo al que todavía le faltan historias por contar acerca de don Ayala.

¿Qué si todos me quieren?

No estoy tan seguro de eso, pero ya aprenderán a hacerlo. El hambre es un buen maestro y el tiempo doblará las rodillas de algunos alebrestados. Hoy he partido otra vez, pero esta historia es distinta. La salud es una vaina seria y la gente necesita a su caudillo completico, con inquebrantable voz de mando y el pulso firme para esparcir la autoridad por estas tierras.

—¡Julita, ya sabes lo que tienes que hacer, porque si lo dejamos, Pancho me agarra el culo! —dije a la mujer que siempre estuvo a mi lado.

Con la cabeza y las esperanzas agachadas, Julita asintió como a medio pelo.

—¡Las putas me están tumbando! —solté a regañadientes al mismo tiempo en que sentía el ardor de aquello que me quedaba en la virilidad. El doctor Pérez-Mitre me lo advirtió, pero yo no me iba a dejar merodear por ninguna negra del billar de Pocaterra.

—¡Celestino, véngase pa'cá mijo!

—¡Sí, mi General! —contestó el primer cháchao.

—Prepárame a los muchachos y les dices que me jodan a Acosta si se sigue haciendo el pendejo.

—¡Aquí todo el mundo me baila pegao! Hay muchos con el ojo clarito creyendo que don Ayala no vuelve por estos lares —dije, clavando lanzas sobre Pancho Gomera.

Pocos instantes sucedieron hasta escuchar el clamor obligado de las masas y, con el guante levantado y el puño apretado, despedirme de aquello que hasta hoy me cabía en una mano.

—Uno nunca sabe Celestino. ¡Páseme el perol pa soltarme un guamazo!

—¡Pero, mi General, recuérdese que el doctor Pérez-Mitre...!

—¡Páseme el perol, carajo! ¡Mire que tengo a los gringos soplándome en la nuca y a medio pueblo hablando por debajito, necesito claridad para pensar! ¿O es que se quiere quedar en Pocaterra marraneándome las vacas? —grité a Celestino, acompañando al sobresalto de Julita.

—¡Como usted ordene, mi General!

Diecisiete días hacían desde que tuve que nombrar al abogado Pancho Gomera como el segundo al mando y no me sentía para nada seguro abandonando la silla.

Por cierto, no te lo he dicho, pero la silla es lo que más se pelea por estas tierras. Todos la quieren y Pancho, como lo llaman algunos cristianos de la Casa Cristal, es uno de los que mataría por ponerle las nalgas encima. Sin embargo, eso que algunos llaman la "diplomacia política" me llevó a sentarlo cerquitica, intentando de esta manera que los musiús del norte vieran la cosa con otros ojos. Al fin y al cabo, los hilos los iba a seguir moviendo cada vez que respiraba y la conspiración liberal había sido desarticulada por los chácharos a punta de bala, ron y moneda. En Chirimoya estaban conspirando con los musiús y aunque estos no se den por aludidos, yo sé que el sancocho se empicha cuando el caldo está suave.

Muy aparte del sinsabor, la gabardina se estrechaba ante el vaivén del vagón así como se estrechaban desde hace ya tres días mis conversaciones con Julita. La deslumbrante compañera con elegante vestido blanco intentaba seguir rehuyéndome con la mirada. Acomodándose el sombrero de medio lado e interponiendo el abanico en filigranas de desprecio disimulado. Deteniendo el vagón con cada roce de nuestras manos. Fingiendo estar en la orilla correcta.

"¡A buena vaina con la Julita!", pensé, al tramo de un parpadeo.

No había querido creer en las pendejadas que se corrían por la Casa Cristal, pero ya Celestino sabe que si Julita y Acosta, se estaban reuniendo con los "jalabolas" de Pancho Gomera, Pocaterra se iba a enterar a candela limpia que a don Ayala no se lo engaña tan fácil.

Por los momentos, mi viaje me llevó a las manos del doctor Pérez-Mitre quien se quiso jugar la vida en una sala de operaciones de París. Porque yo no muero nunca y menos agarrado de las bolas. Sin embargo y luego de que se apagaron las luces del quirófano, quería que supieras quién fue Lucio Martín Ayala. El caudillo que levantó las armas por el pueblo de Pocaterra y que ahora, con la ventaja de estar en cualquier parte y en ninguna a la vez, se va a quitar su sombrero de copa para buscar al malnacido que lo vendió a las codiciosas manos de Pancho Gomera.

3

El siete nunca gana en las distancias largas, aunque he apostado mucho dinero en las patas de este purasangre castaño. La última vez que le confié mi dinero fue hace un mes, cuando en ocho furlones su jinete intentó disparar en el poste de las gualdrapas para caer quinto a doce cuerpos del ganador.

¿Mandarín es rápido? Sí.

Levanto mis binoculares al timbre del arrancadero y el siete se impulsa como un cohete, buscando parciales muy violentos: veintiuno, cuarenta y cuatro. "¡Maldición no va a aguantar!", pienso.

Albert Encarnación trata de dosificar su raudo cabeceo atornillándose sobre las crines y sujetando con firmeza las bridas para que levante la cabeza como una pieza del ajedrez de mármol del abuelo Felicio. Sabe que no podrá contenerlo mucho tiempo y decide buscar la baranda interior para cerrarle el paso al tres que desde el fondo carga con fuerza. Siente su galope y lo conduce a ritmo peculiar. Pareciera estar cabalgando sobre una ola que busca su rápido desenlace en la rompiente.

A su costado derecho, el uno le ha planteado pelea en la punta y lo amenaza durante todo el trayecto, por lo que Encarnación, pasa el látigo a su diestra para esperar el cambio de manos del potro del San Andrés, "¡Vamos Mandarín!". Trae intención.

Albert no desespera. El uno, teme al látigo que tiene frente a sus narices y se abre un poco, por lo que pierde terreno en la curva final mientras su jinete intenta controlar el temperamento del animal. Entre tanto, Encarnación no ha llamado a correr a Mandarín porque sabe que necesitaría arrestos para los metros finales.

—¡Vamos, vamos, vamos! —grito entusiasmado.

Ahora, Encarnación adosado al riel, abre las bridas y comienza a juguetear con ellas estimulando a su cabalgadura:

—¡Arre! ¡Arre!

Aunque el noble castaño comienza a correr con el pescuezo torcido. Está negado.

No le quiere dar el cambio de manos, abre las patas traseras y Terrence Oliver, cabalgando sobre el número tres, lo observa atentamente desde la retaguardia al tiempo en que busca pasar por tercera línea como una tromba junto con otros tres purasangres.

—Suéltalo, Albert. ¿Qué esperas? —digo al momento en que simulo tener un látigo en mi mano derecha—. ¡Maldición, que mal jinete es Encarnación! Perdí cien duros. La próxima vez le apuesto al burro de mi abuelo que corre más que ese muerto de Mandarín. Es la segunda vez que pierdo mi dinero con este maldito caballo —grito desde la tribuna golpeando mi retrospecto contra las sillas y arrojando con furia el boleto apostado hacia la pista de arena del memorable Allaways Park.

Mientras tanto, el narrador del hipódromo hace el anuncio oficial.

El ganador ha sido el número tres, Mandarín, con Albert Encarnación sobre su silla para los colores del Stud San Andrés.

El seguro de la puerta está atorado.

Puede que salir no sea la mejor opción, pero escuché gritos y estoy segura de que no provenían de mis habituales pesadillas.

El piso es de madera, está helado y muy parlanchín.

La espesa neblina no me deja observar a través de la ventana, por lo que tomo el abrigo y lo sobrepongo a mi pijama de calabazas. Intento destrabar sin éxito el seguro de la puerta con el mango de un viejo bastón decorativo que reposaba segundos antes sobre la pared de lajas que alberga la chimenea.

—No debí venir —dije en voz alta.

De nuevo, los desgarradores gritos invaden la cabaña. El frío recorre mi nuca y el bastón se cae. Luego me dirijo hacia el cuarto donde está escondida la señora, quien ahora yace sobre una manta de fieltro rojo. Ya no respira.

A mí me cuesta hacerlo.

Una gárgola sujetada con ambas manos sobre el pecho y una cruz negra invertida a los pies de su alcoba me invitan a huir despavorida. Dando tumbos a lo largo del oscuro pasillo, grito desconsolada y corro hacia una de las ventanas de la sala principal. Está sellada y las otras también. El seguro de la puerta confirma que estoy atrapada y solo tengo un bastón y un rosario de cuentas doradas.

—Teresa, ¿qué está pasando allá afuera? —grito a mi amiga desde el interior de la cabaña.

El rocío sobre las ventanas comienza a teñirse de rojo.

"¿Pero qué diablos? ¡Esto no me puede estar pasando a mí!", pienso horrorizada.

Las pálidas manos me guían a través de la oscuridad y recuerdo que el candelabro no enciende y que la lámpara de gas está afuera acompañando a los aventureros. Me siento sobre el tapete azul frente a la chimenea para pensar, cuando en realidad deseo escuchar a Teresa diciéndome que todo está bien. Que todo es parte de un juego que se inventaron para asustarme.

¿Qué se puede esperar de unos jovencitos que pasan la noche de Halloween frente al lago, arropados con vasos de licor barato?

Bajo la macabra penumbra, cabizbaja y abrazando mis piernas flexionadas, me balanceo hacia adelante y hacia atrás. Los dedos sudorosos hurgan las cuentas del rosario. Mi respiración explota agitada, dentro de un silencio que puede resultar estrepitoso cuando la mente busca huir de la realidad. El olor del lago penetra profundamente hasta mi corazón y lo hace latir muy fuerte.

No quiero mirar las ventanas. No quiero escuchar los gritos. No quiero balancearme más.

Detrás de mí, las paredes de la chimenea comienzan a crujir. Mil pedazos de algo se deslizan desde el techo. Me levanto, volteo hacia la chimenea y huyo de espaldas con dirección a la puerta principal. Ambas manos cubren mi boca sorprendida, desequilibrada en la mueca más grotesca de pánico desmedido.

Ya con la puerta de la cabaña muy cerca, tropiezo el bastón con el pie izquierdo y recuerdo que sigue en el suelo. Me agacho para tomarlo y, en un solo movimiento, levantarme para golpear el seguro con un desespero que ebulle desde mi estómago y se apodera de mi garganta.

El bastón se ha roto, pero el seguro también.

Aparto la pesada puerta de madera e intento huir, no sin antes advertir la presencia de una vieja biblia de cuero que arde frente a la cabaña junto con los restos de dos vasos de vidrio que la escoltan. Trato de apartarlos con el trozo de bastón, y a pesar de ello llegar a la orilla del lago.

—Teresa, ¿dónde estás?, ¿adónde se fueron todos? —grito, mirando alrededor.

El frío brota del St. Clair con hálitos de infinita crueldad. La muerte me anuncia que está aquí y caigo de rodillas.

Es la madrugada del 21 de octubre de 1988, cuando el otoño ha conspirado con el invierno para confundirnos a todos. Más temprano, me rehusé a quedarme afuera con Teresa, Lucecita, Matt, sus amigos del cole y la chica nueva, quienes decidieron hacer una fogata frente al lago St. Clair.

Fue Teresa la de la idea y luego de lo que acabo de presenciar, no sé si podré escapar.

No había otra forma de obtener un permiso de su madre para pasar la noche con Matt. A mí nunca me gustó ese chico y a su madre, tampoco. En todo Riverside College solo se hablaba de Matt, de su auto nuevo, de sus fiestas en Rochester y del equipo de baloncesto del cual, por supuesto, era capitán.

Lucecita, parecía distinta. Ajena a la popularidad.

De talla baja y con grandes lentes bifocales, sus ojos parecían reventarse, saltones ante la mirada de cualquier desconocido. A pesar de mi sorpresa y la de todos, Lucecita tenía extraños tatuajes en su cuerpo con una simbología que nunca entendimos, ya que la niña parecía muy religiosa. Ahora estaba en el ojo del huracán.

Por el contrario, Teresa llevaba la voz cantante en cuanto a aventuras se refería. Espigada, de ojos verdes y una tez morena irresistible para los chicos, no podía evitar ser el centro de atención en los pasillos de Riverside y lo demostraba cada vez que tenía la oportunidad. A Lucecita y a mí, nos correspondía atajar a la loca cada vez que se le ocurrían sus "grandes ideas" y pasar la noche de Halloween frente al St. Clair, fue uno de esos disparates. Luego las cosas se complicaron un poco.

—¿Estás loca?, ese chico solo está buscando presumirte con sus amigos —dije a Teresa.

—Es bello, amiga —contestó —. ¿O me vas a decir que a ti no te gusta verlo con su ceñido uniforme del equipo de baloncesto?

—Bueno, sí. Tiene lo suyo, pero eso no quita que sea un patán.

—Lucecita no dice nada, pero los ojotes le brincaron por encima de los lentes cuando se imaginó a Matt con el uniforme de baloncesto —dijo al mismo tiempo en que las tres reímos a carcajadas.

Aunque para ser honesta, Lucecita parecía muy avergonzada por la conversación.

Pertenecíamos al coro de la iglesia. Éramos de esas chicas que se veían en el salón de clase y que hablaban muy poco, pero que luego fortalecieron su amistad a partir de las coincidencias de la vida. Lucecita asistía por convicción religiosa y era la voz principal del coro. Un verdadero ángel. A Teresa la hizo ir su mamá para que se alejara de las malas influencias. A mí me convencieron entre ellas dos.

Jamás pensé en cantar, aunque mi sorpresa fue grande cuando la audición fue todo un éxito. Una estrofa del "¡Oh alabanza misericordiosa!" fue suficiente para hacerme espacio entre las sopranos del grupo.

Y sí. Lo celebramos de la manera menos religiosa posible.

Lucecita se emborrachaba solo con el recuerdo, aunque la mamá de Teresa creía que la cena en su casa fue la verdadera celebración. De todas formas, el cordero en salsa estaba delicioso y todo transcurrió entre cordialidades y anécdotas escolares muy simpáticas, aunque el padre de Teresa estuvo muy raro. Luego de mirarnos insistentemente a Lucecita y a mí durante toda la velada, recogió sus espejuelos redondos de bohemio misterioso y se retiró a su alcoba sin decir una palabra más. Esa misma noche, la señora nos regaló a cada una un rosario bellísimo de cuentas doradas brillantes y nos pidió que lo cargáramos siempre con nosotras para que nos protegiera de las malas influencias.

—Están bendecidos por el padre Jim —dijo con un orgullo católico inquebrantable.

Y a nosotras nos encantaba.

El simpático padre Jim oficiaba sus misas en la misma iglesia donde hacíamos el coro.

—¡Dios bendiga a este coro de ángeles que el cielo ha enviado hoy para nosotros! —decía el dulce septuagenario.

Con el rosario en la mano y luego de dar las gracias por las bendiciones recibidas, Lucecita asintió encantada. Yo la precedí. Por el contrario, Teresa pidió a su mamá que no la avergonzara más frente a sus amigas.

—¿Dios te avergüenza, Teresa? —dijo la madre, mirándola fijamente a los ojos.

—No mamá, pero es que mis amigas y yo...

—Por favor, retírate a tu habitación. Debes reflexionar mucho acerca de tu relación con Dios.

Y en ese momento nos dimos cuenta de que la celebración había terminado, por lo que decidimos retirarnos también a nuestras casas. Pero antes de hacerlo, la señora nos hizo una inesperada revelación que cambiaría mucho el rumbo de nuestra relación.

El Corvette de Matt llegó a la feria, ruidoso, acelerado y con la estridente "Sweet Child o' Mine" como si se tratara de la última vez que la escucharía en su triste vida de patán. Con un ridículo y ajustado cuero negro, salió por la ventana emulando a cualquier estrella de rock, aunque él era solo Matt, el imbécil. Teresa lo acompañaba y todos nos quedamos boquiabiertos ante el disfraz de niña rebelde que lucía. Al verla, Lucecita me sujetó del brazo y se acomodó los lentes. Con las miradas encontradas, ambas decidimos comprar algodones de azúcar para aparentar que no la habíamos visto y para asimilar el impacto de la incómoda situación.

—Veamos qué tenemos por aquí. ¡Ah, sí! Las examigas que me abandonaron ante el castigo de la madre controladora.

—Teresa ¿de dónde sacaste esa ropa?, ¿por qué nos hablas así? —preguntó Lucecita.

—Miren a la calladita. La que se avergüenza por todo, pero que aprieta las piernas cuando ve a mi novio.

—¡No le hables así! —repliqué de inmediato.

—Y a Tina, la amiga que se mete en tu casa para hacerle ojitos a tu papá —contestó Teresa mientras volteaba a señalarme con el dedo índice rodeado por un anillo muy extraño.

—Es todo. Debemos retirarnos. ¡Vamos Lucecita! —dije a mi amiga compungida—. No sé qué diablos te pasa, pero estoy segura de que cuando voltees a ver a Matt, se te pasará el mal rollo —dirigiéndome esta vez a Teresa.

Y la vida entre amigas es así. Algunas veces somos víctimas del coraje, pero siempre estamos las unas para las otras.

Matt había subido a la chica nueva a su Corvette mientras Teresa resoplaba y se marchaba de las miradas lastimosas de los chicos del cole. Lucecita fue la primera en ir detrás de ella, no sin antes recordarle a Matt lo imbécil que era. Admito que reflexioné unos segundos antes de secundar a mi amiga de los ojos saltones.

Teresa estaba furiosa.

Frente al riachuelo ubicado a unos cien metros de la feria, se despojó una a una de las prendas que minutos antes la habían hecho parecer ridícula y que en ese momento desaparecerían arrastradas por el agua.

—¡Lárguense de aquí! —nos dijo a Lucecita y a mí—. ¡Todos son unos imbéciles!

—Estamos aquí para ti y lo sabes —dije, al tiempo en que la tomaba del hombro por la espalda.

—Debí saber que nunca se iba a enamorar de una loca.

—No digas eso, sabes que no es verdad.

—¿Mi madre les dijo lo de mi esquizofrenia, verdad? ¡Déjenme sola!

—No lo vamos a hacer.

—Es esa chica nueva, la del lacito rojito con su vocecita. Con esa cara de prostituta barata, se le metió por los ojos a Matt.

—Matt es un patán y tarde o temprano lo iba a hacer, con ella o con cualquier otra —comenté a Teresa.

—Tina, permíteme a mí —dijo Lucecita apartándome con el brazo de una forma que me sorprendió.

—¡Si eres estúpida, Teresa, te dejaste quitar a Matt por la mosquita muerta del lazo rojo!

—¡Lucecita! —exclamé sorprendida.

—¡Tiene razón, nunca me acosté con Matt porque Teresa era su novia! —prosiguió Lucecita fuera de sí, como si algo se hubiese apoderado de ella —¡La entrepierna sí se me moja cuando lo veo y tú lo perdiste!

—Ok. Esto se está saliendo de control —les dije a ambas.

Teresa se volteó para mirar a Lucecita. Se abrazaron y lloraron como dos niñas que perdieron a su padre. Seguía sin entender, pero al menos todo se distendió. Lo vi en los gestos de las dos y eso me tranquilizaba. Temía que Teresa fuese a cometer una estupidez y sé que Lucecita también lo pensaba.

La amistad es extraña y puede adoptar múltiples formas detrás del dolor de una amiga. Cuando se es amigo desde la razón nos distanciamos en los momentos difíciles. Pero cuando se es amigo desde el corazón, los momentos difíciles nos fortalecen hasta que nuestros corazones son uno solo.

Habían pasado varios días hasta que Teresa pudo salir de su cuarto.

Su madre, muy preocupada, les habló a Tina y a Lucecita para que la visitaran regularmente. Ella insistía en el tema de los episodios esquizofrénicos de su hija. Tina, convencida de que Teresa estaba mal, trataba de cuidarla y no dejarla sola. Lucecita en cambio, nunca creyó en su enfermedad, pero estuvo con ella hasta el final.

Las cosas se complicaron cuando el padre de Teresa cayó en

desgracia, producto de una acusación judicial por tráfico de órganos infantiles. Tina y Lucecita lo sabían, pero en casa de Teresa no se hablaba del tema.

Matt se había acercado nuevamente a Teresa y ella lo había rechazado en varias oportunidades. La madre de Teresa nunca supo acerca del episodio de la feria, y aun así odiaba que ese chico fuera a buscarla.

—Tina, ¿ese chico tiene algo con Teresa?

—No, señora. Es un imbécil y Teresa lo sabe.

—¿Desde cuándo están saliendo?

—No sé, un par de meses.

Muy nerviosa, se retiró a la cocina. Lucecita y Tina, aguardaban en la sala mientras Teresa bajaba de la habitación.

—Chicas, ¿quieren limonada?

—Sí, gracias —respondieron al unísono.

—¿Puedo utilizar su baño? —preguntó Tina.

—¡Sí, claro! Ya conoces el camino.

Tina se dirigió al baño, pero notó que, a un costado del pasillo, la puerta del cuarto principal estaba entreabierta y no pudo evitar mirar a través de ella.

Nunca había visto una decoración tan rara. Tan negra. Tan macabra.

Cruces y gárgolas daban un ambiente muy oscuro a la habitación. Tina no soportó estar allí y ni siquiera llegó al baño. Sin embargo, en el piso de la habitación había algunos recortes de prensa que mostraban la noticia de la aprehensión del padre de Teresa. También vio una foto del ahora acusado con cuatro chicos, entre los cuales se hallaban la nueva del cole con su lazo rojo, Lucecita y Matt. Al cuarto no lo pudo reconocer, su cara había sido tachada con marcador rojo.

Cuando Tina soltó la foto y se giró, la madre de Teresa estaba allí con un cuchillo en la mano, justo delante de ella.

—Señora...Solo pasaba por aquí y...

—No digas nada. Baja la voz que Lucecita está en la habitación de Teresa —pidió, acercándose a Tina con un gesto de precaución—. Esto lo descubrí hoy y estoy muy desconcertada. Esa chica nueva, Lucecita y Matt ¿conocían a mi esposo?

—No sé qué decir —soltó Tina al tiempo en que daba un paso hacia atrás—. Pero toda la decoración en el cuarto, ¿de qué se trata todo esto?

—Mi esposo colecciona arte gótico. Nunca pensé que hubiese algo más. Tina, necesito que me ayudes a llegar al fondo de esto.

—Pero ¿yo, señora? ¿Cómo se supone que haré eso?

—Teresa me dijo que está planificando acampar la noche de Halloween en el lago. Me da mucho miedo dejarla ir, pero encerrarla toda la vida no la ayudará tampoco. Además, quiero que vigiles a Lucecita y a Matt para ver qué se traen. Yo rentaré una cabaña y estarás allí conmigo. Dirás que no te puedes quedar afuera porque eres asmática, ¿cierto?

—Sí... sí... Pero...

—Nadie sabrá que estoy allí, ya que me encerraré en la habitación. Tú entrarás solo si es necesario. Las chicas no querrán quedarse en la cabaña, así que todo será muy seguro.

El frío brota del St. Clair con hálitos infinitos de crueldad y la niebla solo le deja ver por momentos, aunque la muerte le había anunciado que estaba allí.

Tina estaba horrorizada y no entendía nada de lo que ocurría. No podía moverse. La neblina se dispersó por momentos y pudo observar la macabra escena de cientos de lazos rojos flotando sobre el agua. A sus pies y arrastrados por las suaves olas del lago, dos rosarios elaborados con uñas humanas barnizadas con sangre fresca emergían para hacerla caer de rodillas.

Intentó gritar. No podía.

Una última ola arrastró los lentes rotos de Lucecita con dos ojos ensartados por la montura negra que tantas veces la amiga sujetó para que no se le cayeran.

A los pies de la fogata, un círculo ritual mal dibujado con sangre y adornado con las cabezas de varios de los chicos del cole, incluyendo la de Matt. Tina volteó para buscar ayuda mientras trataba de encontrar una bocanada de aire. A un extremo de la espantosa escena, yacía el padre Jim, arrodillado y atravesado con una cruz por la garganta.

"Ortseun erdap" sobre el hierro caliente de la cruz.

Sujetaron a Tina por la espalda con mucha fuerza.

En un intento por escapar, giró su cabeza y vio a Teresa con las manos y la boca ensangrentadas.

—¿Nos acompañas al infierno, amiga?

—Luisa, ¿tienes tus partes completas?

—Creo que sí. ¿Todavía sigues aquí?

—¿Para dónde crees que voy a ir? Este cuarto es muy pequeño y el mareo es muy grande.

—Ni estando bien jodido —dijo riendo— pierdes el sentido del humor, por eso te escogí. Dime, ¿qué estás pensando hacer?

—No pienso. Solo percibo la luz. No sé de dónde proviene, quizás de debajo de la puerta que quedó en pie. Tampoco sé dónde está el vodka derramado ¿o eres tú la que huele así? Afuera todo está muy oscuro. Ya debe ser de noche y... Disculpa, ¿qué dijiste? ¿Tú me escogiste?

—¿De noche? No creo. No hemos conversado tanto desde que me preguntaste la tarifa y te dije que si tú ponías la hierba era más barato y sí, yo te escogí. Por cierto ¿en qué trabajas?

—¡Mierda! Ya el larguero está seco de tanto pasarle la lengua. Tengo sed y no hay más gotas. Al menos no me duele tanto la pierna, creo que la tengo dormida o la perdí por el aprisionamiento.

»¡Ay! me duele la cabeza también, a lo mejor por tanto vodka barato, de ese que te gusta a ti. Gracias a Dios que todo se nos cayó encima cuando estábamos en la cumbre de la borrachera. Morir feliz, morir tirando. Morir con la prostituta que me escogió. ¿Y para qué quieres saber en qué trabajo?¿Ser médico o camionero es relevante ahorita?¿Desde cuándo a una prostituta le importa la profesión de su cliente?

—Ya deja de llamarme así, porque yo te llamo por tu nombre y no te digo aberrado burdelero. Y ya que estamos aquí sepultados, al menos no quisiera morir al lado de un desconocido. Bueno, en realidad me da miedo dormirme y no despertar, pero si lo hago y tú logras salir, dile a mis hijos que luché hasta el final. ¿Puedes levantar algo?

—No vamos a salir de aquí, no insistas. No puedo ni levantar los brazos. No escuché lo que se nos venía encima porque comenzaste a moverte como si fueses una licuadora descompuesta. Todo giraba y las luces eran de muchos colores. Ni siquiera sabemos si nos están buscando y ojalá que no. No quiero que mis hijos sepan lo que estaba haciendo contigo. Mi mujer me importa un carajo, pero mis hijos sí. Esos sí me importan.

—¡Oh, perdón!, habló el padre de familia. El hombre abnegado que odia a su mujer, pero le interesa su reputación con los hijos. ¿Cómo se llaman?¿Saben que te la pasas en bares pordioseros, que te gusta el sexo con payasos y además que te amarren por la espalda?

—¡Por Dios, mujer! Luis Manuel de ocho y Luis Fernando de cuatro. Y ya que estamos entablando una amistad de prostibularios moribundos, ¿tú tienes familia?

—Sí. Esta puta, como la llamas, tiene familia. Mi hija Luisa Sofía tiene catorce y Luisa Fernanda, la mayor, diecisiete. El padre nos abandonó porque no se iba a hacer cargo de las hijas de una puta. Solo cogemos ocasionalmente, cuando tiene dinero para pagarme.

—Tengo hambre. Estira la mano y agárrame aquí abajo.

—¿Estás loco? Apenas si me puedo mover. Además, tu tarifa caducó cuando te colgaste de la lámpara del techo para que te lamiera la entrepierna.

—¿La insensata meretriz me va a cobrar aún en su lecho de muerte?

—Claro que sí. ¿Y si logramos salir de aquí y no me pagas?

—¿Y si no salimos y este es el último pito que tienes chance de agarrar?

—¿Y si meto la mano y tu miembro no está?

—¡Por favor, mujer!, ya me hubiese desangrado. Y tú, ¿estás segura que estás completa?

—No, pero al menos no quiero averiguarlo para morir angustiada.

—¡Anda, chica, mete la mano y muere feliz!

—¿Luis, no entiendes que no puedo moverme? Tengo mucho peso sobre el antebrazo derecho.

—Por cierto, ¿todo esto fue un terremoto? Menos mal que este cuarto tiene un solo piso y es de madera.

—Se estremeció muy fuerte, a lo mejor solo se derrumbó el techo. Voy a gritar.

—¡No, no lo hagas! Afuera deben estar buscándonos. No quiero que me encuentren así contigo.

—¿Te quieres morir, entonces?¡Muérete tú solo!¡Auxilio!¡Estoy aquí!¡Auxilio!

—¡Escúchame bien! Si vuelves a gritar, acabaré con tu miserable vida de ramera barata. No quiero salir en los diarios como el padre de los Luisitos que cumple con sus obligaciones, pero que se emborracha con rameras en cualquier cuartucho de mala muerte.

—¿Sí? ¿Y cómo hará eso el señor lisiado?, ¿a pedo limpio? ¡Auxilio! ¡Auxilio!

—¿Estás así de borracha y drogada?, te dije que no mezclaras sustancias.

—Yo bebí poco, y drogarse es un arte que solo las finas damiselas podemos manejar. Además, ¿qué te importa si me emborraché o no? ¡Auxilio! ¡Auxilio!

—Cállate ya, Luisa, y salgamos de debajo de la cama que vamos a despertar a los niños.

La vista no es grandiosa, pero al menos la ventana todavía sigue allí.

Cuatro barrotes consumidos en la espera intentan contarme historias de un tiempo que, andando sobre mis espaldas, se pierde al conteo de cuatro. El barrote más a la izquierda de los ojos azules es el mismo que estrecho con los dedos de mi mano derecha. Dos realidades separadas por el metal. Dos vidas separadas por los mismos deseos encontrados. Desde el techo agotado por tanta humedad, una gota se desliza indecisa, intentando darle respuesta a esta vulnerabilidad.

"¿Los ojos aparecerán hoy?", pienso desdibujado.

La vulnerabilidad de la cual te hablo es lo único que he tenido para abrazar. Los barrotes podrían cambiar de posición, agruparse en pares o hasta desaparecer, pero sus sombras seguirán proyectándose a un ritmo marcado por la dulce melodía de la luz impaciente. Después de todo, lo que la luz decida hacer con ellos no me interesa.

Vistos por el halo están Juan, Ana, Pilar y Casimiro. Así decidí llamar a los cuatro barrotes que bailan en el frío cemento sobre el que yacen mis pies desnudos de moribundo infinito. Dije que no me interesa, aunque mi gran secreto es que cuando Juan decide tener sexo con Ana; Pilar y Casimiro se esconden avergonzados ante la mirada de los ojos que llegan desde afuera, o desde adentro, o desde ningún lado, o desde la esperanza, o desde un mundo que ahora he guardado para siempre.

Solo sé que en la brillante oscuridad, Juan le enviará la luna a Casimiro como en el cortejo del loco. Ana y Pilar no la alcanzarán sino a medias, mientras Casimiro espera agazapado con las marcas horadadas por el sudor de mis dedos. Todo esto ocurre solo si la traviesa luna no se esconde para que Juan deje en paz a Ana. La luna sabe que Pilar jamás se entregará a Casimiro delante de ella, y que yo estaré allí para vigilar su partida a través de la frondosidad de los árboles que se revelan de copa en copa y en el medio de los cuales emergerán los ojos azules que me regalarán un día más de olores recién vestidos.

Aparcados ante la inmediatez de tanta emoción, brotan los ojos azules de tallos cabizbajos y pétalos de agolpados cromáticos fundidos en el cielo azul. Van abrazados a cualquier árbol que se deje abrazar, y me saludan a pesar de la indecencia de Juan y Ana. Hoy, las dos orquídeas me han visitado otra vez. Yo seguiré esperando la partida de Pilar y Casimiro como si se buscaran en su propio viaje. Un viaje que por cierto, nunca estará completo hasta que la próxima luna decida no aparecer jamás.

"Entre dos lunas, tus ojos, es un relato con la prosa en su máxima expresión. Muestra el drama casi poético de un hombre enclaustrado detrás de cuatro barrotes que lo separan de la libertad. La intención del escritor queda de manifiesto, al bordear a través de la nostalgia, los límites en los que comienza la poesía."

Will Canduri, 2021

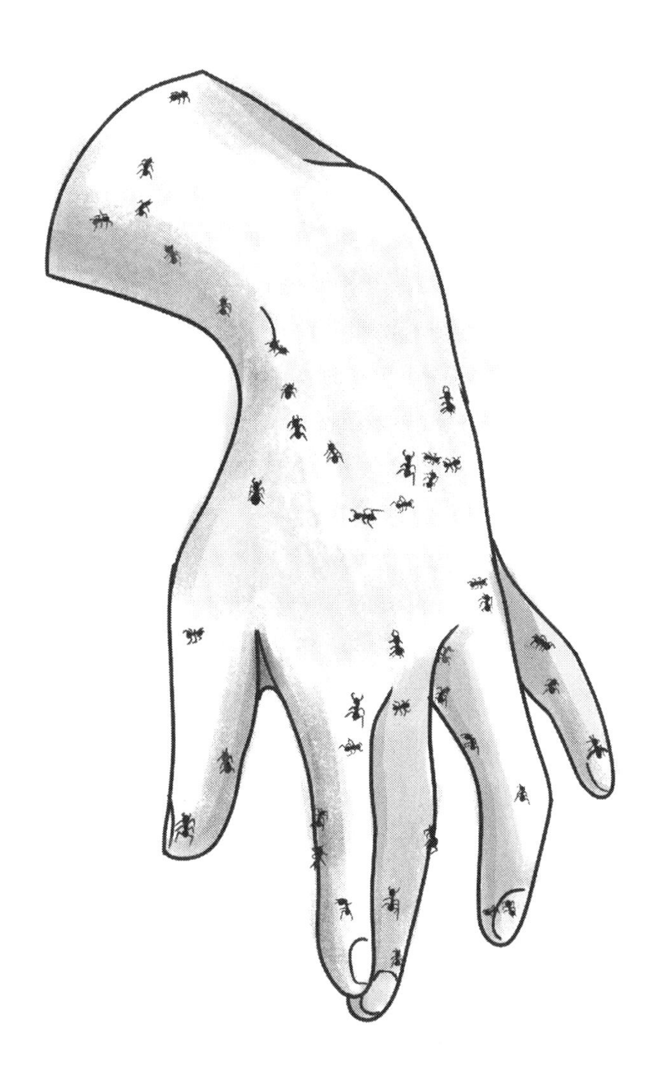

EL OCASO DEL FEROMUNDO

Un fuerte dolor de cabeza me hace rogar por un rato más.

Mis primeros pasos del día vienen acompañados por un café, el correo electrónico y mi agenda; en ese orden. En las afueras de la tienda de campaña, dos miembros del equipo de excavación no paran de conversar. Son costeños y no entiendo el coloquialismo. Además, me doy cuenta de que no tengo ropa limpia y busco en mi equipaje. Me pongo la misma de ayer.

La computadora portátil está muy lenta y quizá sea el momento de comprar una nueva. Tendré que esperar una mejor economía.

—¡Doctor Restrepo, venga, necesita ver esto! —exclama uno de los asistentes.

Salgo de la tienda y observo mucho movimiento a mi alrededor.

Hace minutos, evaluaba la posibilidad de tomarme el día libre, aunque ya veo que será imposible. “No hay señal que me indique que puedo escapar a este importante hallazgo”, pienso irónicamente al instante en que me acerco a Pablo, uno de los pasantes a mi cargo.

—¡Vaya!, parece que tenemos algo muy interesante. He seguido el rastro de los promontorios arqueológicos de Cartagena por más de una década y nunca había visto algo similar —comento a Pablo.

Mi nombre es Gilberto Restrepo y soy un Arqueólogo de la Universidad de Michigan. Hoy me encuentro acá agachado con un pincel temerosamente asido por mi mano derecha, escarbando una placa de piedra bajo los pies de un almendrón. Con la mano izquierda, tomo mi grabadora y la enciendo para dejar evidencia del registro.

Lunes, 31 de julio de 1995. Hora: 8:25 a.m. Leo textualmente de la placa:

> Levanto mis manos en cuanto caigo destrozado a los pies de su alabarda. Esto no significa que estoy herido, si no que tú tampoco lo estás. El recuerdo me castiga, mientras que el tiempo corre en mi contra.
>
> F.L.,1806

Embriagado ante el esplendor del hallazgo y con todo el rigor científico, ordeno al equipo de excavación proceder a la extracción de la placa, así como a iniciar su traslado para el posterior análisis, no sin antes notar que la incipiente tumba está configurada de manera vertical.

¿Se tratará de falta de espacio por alguna epidemia de la época colonial? De ser así, ¿por qué no se habilitaron fosas comunes?

Las dudas, el olor a tierra húmeda y la adrenalina invaden mi momento y lo convierten en un suspiro de irrenunciable éxtasis a los pies de aquel almendrón. Creo saber lo que tengo ante mis ojos, aunque de manera inconsciente me rehúso a confiar en su merecimiento. Intento guardar la grabadora y le hago una señal a Pablo para que siga escarbando hacia el fondo.

Mi presentimiento es aún más fuerte. Mis ganas de salir corriendo y abandonar la escena se encuentran confundidas con las de quedarme allí, inmóvil, atónito, imperturbable. Estoy congelado por la advenediza expectativa que todo lo paraliza. A mi alrededor solo existe un misterioso hoyo, las embarradas manos de Pablo y mi espantoso dolor de cabeza.

Sin embargo y contra todo pronóstico, dentro de la cavidad no hay evidencia alguna de restos humanos. En su lugar se aprecia un pequeño manuscrito cubierto de piel, así como algunas varillas de mimbre, algo de hollín y ceniza. Sobre la portada envejecida por el evidente confinamiento, emerge un misterioso título escrito en bastardilla: "Feromundo".

—Doctor ¿qué es esto? —pregunta Pablo, desconcertado.

—¡Por favor, colóquenlo a resguardo de inmediato! Este, querido Pablo, puede ser el Santo Grial de la historia colonial de Cartagena —le respondo al instante en que me retiro al encuentro de mi tienda.

Pablo asiente con las esperanzas puestas en aquello que soy incapaz de decirle y también ante lo que podría ser un golpe de suerte para nuestra mermada reputación arqueológica.

Por el momento, el sol no quiere salir. Se niega a regalarnos el día que necesitamos para continuar, por lo que, ante la inminencia de la impertinente lluvia, debemos suspender las excavaciones.

Recogemos el campamento, acordonamos la zona y abordamos la camioneta todo terreno. Nelson y Nidia, dos miembros del equipo, se quedarán en el remolque para resguardar la zona del hallazgo. Pablo y yo queremos llegar al laboratorio lo antes posible.

Ya en el laboratorio, la ansiedad intenta desbordarme y pido a Pablo la preparación de la mesa de trabajo al mismo tiempo en que termino de engullir una arepa de ayer que me servirá de alimento improvisado. Acudo al protocolo de aislamiento para no contaminar la pieza y enciendo las lámparas. Tomo las pinzas. Con el pulso forzado por la emoción y la lógica, trato de despegar con mucho cuidado las primeras páginas envejecidas por el tiempo y que se han pintado entre sí con caprichosas rondas de humedad.

Entonces, comienzo a leer en voz alta:

> Vengo con la horda que defiende al juncal y no me reconozco en la forma de mi cuerpo, si no en la de aquel que está próximo y hasta en la de aquel que no puedo oler. Camino entre las rendijas de lo inalcanzable, por donde mi cuerpo oscuro se mueve tosco ante la presencia de otro soldado, quien me invita a esquivarlo con un saludo casi reverencial.
>
> Estoy alerta ante cualquier señal para marcar el camino de los guerreros.
>
> A unos cuántos espacios de distancia, las exánimes semillas se rifan para los más aguerridos.
>
> La larva del frutal, ya destripada por las mandíbulas ávidas de sangre, sirve de abrebocas para el cortejo fúnebre que la llevará a su última morada. Me detengo ante el almendrón y todos detrás de mí también lo hacen. Limpio mi olfato para alejarlo de tanta confusión. Espero el paso funeral de la larva, al mismo tiempo en el que marco la semilla de arándano detrás del musgo seco.
>
> Los restos mortuorios de la larva me trasladan a otro tiempo en el que era lo que ahora no soy, y en el que vi tantas caravanas funerarias impulsadas por la ignorancia

dogmática de unos cuántos, porque la larva muere para alimentar nuestros cuerpos, mientras que los acusados morían para alimentar nuestras diferencias. La larva muere a causa de nuestra organización social. En el mundo de las herejías, los señalados morían para justificar lo injustificable.

Dentro de este recuerdo ya exprimido por las húmedas hojarascas, emerge en mi memoria el mes de marzo de 1741 en Cartagena de Indias, antiguo territorio de Calamares, Caribes y ostras por contar. Dentro de este recuerdo cargado de dudas, nos defendíamos del infame ataque de seres de ojos distintos que habían retrocedido ante la fiereza de nuestros soldados y que ahora se hallaban replegados en lugares recónditos; escondidos detrás del charco de agua que nos daba comida, pero que también nos traía la muerte. Dentro de este recuerdo abigarrado por la multitud que hoy se aglutina en torno a mi espacio, habita la intención de organizarnos en extrañas y asincrónicas formas de lucha. Dentro de este recuerdo distante a mi Feromundo, las órdenes eran implacables y los colores de piel tenían un valor distinto, tanto para el virreinato, como para los bárbaros investidos por las cruces de hierro.

Fui un gigante que contaba con dos brazos, dos piernas, dos ojos y una forma particular de estridular. No vivía como ahora, en galerías subterráneas ocultas a los meteoritos de tamaño incalculable, ni a las terribles aplanadoras aleatorias que se abalanzan desde el cielo. Sin embargo, vivía apresado por mis propios intereses, por las desigualdades impuestas por la corona europea a través de la Casa de Borbón y por las oníricas creencias del Tribunal de la Inquisición de Cartagena.

Ya no comprendo.

Ahora, el paso obstruido por la fiesta de la larva caída se restaura mientras que avanzo al compás de los otros, en direcciones marcadas por aquellos que han caminado antes. El fuerte olor del Feromundo, nos convoca a repeler el ataque de otros seres, también de ojos distintos. Son demasiados.

El olor de la señal nos organiza de forma casi instantánea para impedir el ataque de los atrevidos intrusos. Quizás hoy, voy a morir entre aguijones desesperados por trazos de alimento o bajo punzantes alabardas que me destruirán, pero que también me inyectarán grandes dosis de satisfacción a la luz de las causas justas. El monstruo frente a mí me duplica en tamaño y se aventura con ferocidad, aunque soy más rápido. Intento atenazarlo para aguijonear su imponencia. El intento es fallido y mi cuerpo, expuesto ante el feroz contraataque, zozobra al rigor de la batalla. Al final, nuestras muertes amontonadas sobre la entrada de la colonia impedirán que los monstruos accedan a ella.

Levanto mis manos en cuanto caigo destrozado a los pies de su alabarda. Esto no significa que estoy herido, sino que tú tampoco lo estás. El recuerdo me castiga, mientras que el tiempo corre en mi contra.

F.L., 1806

—¿De qué trata todo esto? —pregunta Pablo.

—¡Se trata de la Leyenda del Feromundo! —digo con la respiración entrecortada por la excitación del momento.

—¿Feromundo?

—Cuenta la leyenda que durante la Colonia dominada por el virreinato y por la Santa Inquisición de la Iglesia Católica, un soldado llamado Federico Luján fue acusado de herejía y condenado a una terrible tortura.

»A Federico se le enterró de pie de tal manera que solo su cabeza y hombros fuesen visibles para los verdugos. Luego, vaciaban gotas de miel almizclada sobre su frente, esparcidas en periodos de tres segundos al pie de un almendrón. El castigo se hizo público para mostrar a las personas, y en especial a los soldados del virreinato, lo que les ocurriría a todos aquellos que desafiaran la autoridad política y eclesiástica de la Nueva Granada. A pesar del clamor y de los gritos desesperados del infortunado soldado, no recibió el perdón del Santo Oficio, por lo que fue devorado lentamente por colonias de hormigas hasta llevarlo a una dolorosa muerte. Su cuerpo fue sepultado en el mismo lugar en donde se lo asesinó, y los pobladores cuentan que el sufrimiento de Federico recayó sobre miles de maldiciones proferidas, en cuanto su alma errante fue capaz de poseer el cuerpo de una hormiga. Federico seguiría siendo un soldado, pero en un cuerpo distinto. Solo descansaría en paz cuando la Santa Inquisición fuese abolida, lo que en teoría ocurrió para el año de 1811 con la expulsión de los españoles. La leyenda nunca se corroboró, pero ahora tenemos en nuestras manos un documento que podría cambiar la historia.

—¡Pero, esto es increíble! —comenta Pablo con sus manos en la cabeza.

Ahora tengo una prueba fehaciente que cerrará muchas conjeturas alrededor de la leyenda del Feromundo. No obstante, la llamada que recibí minutos después cambiaría el curso de los acontecimientos. La zona de excavación arqueológica alrededor del almendrón ha desaparecido y su lugar ha sido colonizado por un nido de hormigas de enorme envergadura.

—Pasajeros del vuelo 1039 de Bloowish Airlines con destino a Oslo, favor presentarse en la puerta de embarque número tres.

—Segundo llamado: Pasajeros del vuelo 1039 de Bloowish Airlines con destino a Oslo, favor presentarse en la puerta de embarque número tres.

A pesar de todo lo extraño que me resulta esta situación y tras revisar lo costoso de un Paco Rabanne en el Duty Free del Aeropuerto International Anchorage de Alaska, me dirijo hacia la puerta de embarque. Tomo mi abrigo de piel. Desecho el vaso del café recién tomado y miro sorprendido a mi alrededor.

—Buenos días, señorita. ¿De aquí sale el vuelo para Oslo? —digo a la amable rubia en la puerta de embarque y le entrego, tanto mi pasaporte, como el pase de abordaje.

—Buenos días, señor... Eh... Larsson —mirando el boleto—. Sí, bienvenido a bordo. Por favor diríjase por el pasillo y la azafata le indicará la ubicación de su asiento.

—Disculpe, he tratado de investigar, pero no he obtenido respuesta. ¿Es normal que el aeropuerto esté así de desolado? Tal parece que soy el único pasajero en toda la terminal.

Puedo leer en la placa de identificación colgada sobre su pecho izquierdo, el nombre de la señorita Cunningham. Sin embargo, y como ha ocurrido desde el primer momento en el que llegué, solo he recibido una sonrisa a media intención acompañada de un gesto de asentimiento.

Todo ha sido muy extraño. Sin pasajeros. Sin transeúntes por la terminal. Sin un acompañante con el cual compartir mis peripecias durante el clima invernal noruego o para conversar sobre las últimas noticias de hoy.

Supongo que los trabajadores se avergüenzan de que un aeropuerto internacional no tenga concurrencia. Quizás por eso no hablan de ello.

Me siento como en algún teatro artificial de Pyongyang en donde obligatoriamente quieren hacerte creer todo lo que ves.

Decido no preocuparme más y abordar la aeronave. La bella azafata me recibe y desde la puerta del Airbus A321 me conduce hasta el asiento 17B.

—¿Pero...soy el único pasajero? —pregunto a la azafata buscando obtener respuestas desde cualquier parte —¡Al parecer he rentado un avión para mí solo! Todo un viaje de aventura. Mis amigos del club de polo no van a creer esto —digo en voz alta.

—Puede pasar a primera clase si lo desea, señor Larsson —dice la azafata.

Por las formas y el tono de su respuesta, entiendo que no están cómodos con las pérdidas económicas o con las pocas ganas que tienen las personas de visitar Noruega.

No insistiré más, no es mi problema, pero ¿no cancelaron el vuelo?

Ocuparé la primera clase y me reclinaré por completo. Pediré bebidas y les daré algo de qué ocuparse.

Me siento. Suspiro. Vuelvo a observar a mi lado. Esto no está ocurriendo ¿o sí?

Presencio el triste espectáculo por la ventanilla. Los trabajadores del aeropuerto conducen un único equipaje hacia el avión. No salgo de mi asombro y tomo mi teléfono para registrar ese absurdo momento. Como lo había planeado, llamo a la azafata, pido un escocés en las rocas y una manta ¡Volaré como una celebridad!

El capitán se identifica a través del comunicador interno de la aeronave

—Volaremos con rumbo este, a unos diez mil pies de altura. Diez grados centígrados en Oslo, no se esperan turbulencias.

Sí, ya sé, atenderé las instrucciones de seguridad de la sexy azafata.

—El avión tiene cuatro puertas de salida, debajo de su asiento podrán encontrar...

Y así me pierdo en las divagaciones acerca de este absurdo momento que me ha tocado vivir.

Dos, tres, cuatro... Siete Johnny Walker en las rocas. Me levanto del asiento y de manera burlesca comienzo a bailar el lago de los cisnes a través del largo pasillo del avión. La manta me sirve de bufanda. La azafata me invita a sentarme y mantenerme con el cinturón ajustado.

—¿Por qué, señorita?¿Podría molestar a los demás pasajeros? —me rio despiadadamente—. Por favor, ¿me trae otro vasito de mi amigo "el caminante"?

—Caballero, por favor, tome asiento, mientras le busco su bebida.

—¿Si me quito la camisa, sería considerado conducta inapropiada durante el vuelo?

—Si no se sienta, ya sería conducta inapropiada, señor. No me haga reconsiderar la conveniencia o no de su próximo trago.

—¿Y un besito?

—¡Siéntese, por favor!

Decido calmarme y tomar asiento. Porque si no, será lo único que seguiré tomando.

Agarro la manta y me cubro el torso, cierro los ojos.

Siento mucho calor, algo me quema la espalda.

Despierto sin camisa a orillas de una playa solitaria.

A mi lado, el abrigo de piel, un vaso derramado de escocés y una manta azul con el texto bordado: Bloowish Airlines.

Abandona su brillante palacio para emerger desde el lago al encuentro de Zipa.

Su hija la acompaña con los ojos cerrados. La balsa se detiene y la ceremonia también. Parado bajo los rayos del sol, imponente y con la espalda hacia la tribu, el hombre amarillo acalla las voces danzantes de los borrachos que acusan la infidelidad de aquella mujer y la voz del sacerdote también. Entre arbustos tupidos por un verde enclaustrado, los dioses observan la tensión del ritual, los brazos elevados de Zipa y los ojos cerrados de la niña que aún destilan las cristalinas aguas del Lago Guatavita.

La sombra y luego la luz.

El polvo dorado amontonado sobre las manos de Zipa es la señal de la ofrenda que la mujer no desea recibir.

El sacerdote retrocede y ella se acerca.

Con los brazos cada vez más agitados, Zipa intenta arrodillarse a los pies de su familia devuelta por el agua, pero el orgullo de ser el Gran Cacique se lo impide. Levanta la mirada hacia el sol, al tiempo en el que derrama el polvo dorado sobre el lago, como quien derrama todas las esperanzas de ser perdonado. Desde la balsa, comienzan a ser arrojadas las áureas ofrendas que buscarán resarcir a la Pachamama para hacerla misericordiosa a los ojos de los muiscas. Con su hija en los brazos, el rostro inexpresivo de la mujer se levanta ante el clamor de los presentes, y de los ausentes, y de los ancestros, y hasta de Zipa.

—¡Esta es tu hija! —profiere la mujer con un desgarrador grito que retumba en las profundidades de Guatavita, al mismo tiempo en que se desvanece señalando al sacerdote.

"La grandeza de un relato se genera al momento de la lectura. Es el lector, a través de la potencia de sus sensaciones quien le da una vida real a cada personaje, a cada ambiente narrativo, a cada letra colocada sobre el papel. Los escritores intentamos generar la chispa. Los lectores, hacen la magia."

Will Canduri, 2021

Hola. Mi nombre es Lux y soy invisible. Lo descubrí a los dieciséis.

Posiblemente haya estado a tu lado en el supermercado o mientras te duchas. Tengo que aceptarlo, me gusta tu intimidad. Por eso me he autodenominado "El Fantasma". Aunque no soy el típico espectro que ha muerto y cuya alma vaga por los rincones más oscuros de la realidad. No, ese no soy yo. De esos he visto varios y yo que tú, no me preocuparía tanto por ellos. Esos carajos ni saben en donde están. En cambio yo...

No querrás saberlo, pero igual te lo contaré.

Yo conozco el secreto que quiera, de quien sea y sí, lo admito, también he ido más allá. He cruzado el umbral de lo que es moralmente correcto para los que son visibles porque en mi mundo no hay reglas.

Siempre he sido el mismo, un marginado que ha construido su propia realidad a los ojos de los que me han apartado. ¿No ha sido esa la historia del mesianismo? Ya la he aceptado.

Sin dar más vueltas, empecemos por lo único que importa, pues te escribe el dueño del mundo.

Desde niño no dejaron de conectarme cables raros a la cabeza, de hacerme todo tipo de pruebas y de roer hasta el hueso el seguro médico de mi madre, quien perdió su trabajo para darme cuidados dentro de una condición especial que la sociedad se inventó para justificar mi presencia en ella. Luego no pudo continuar pagando la prima del seguro. Los médicos nunca llegaban a una conclusión que satisficiera sus estiradas elucubraciones científicas y, entonces, comenzaban de nuevo. Los hospitales, la prensa, los seguros, los psiquiatras, los abogados, las farmacias, los laboratorios y hasta la escuela hicieron de nosotros, un festín de humillaciones que dibujaron la realidad de la que hoy son dignos merecedores.

Mi madre murió hace tres años por un tumor que no pudo tratarse correctamente por dedicarme tiempo a mí y no consumir más la póliza. Las aves de carroña del Hospital San Plinio, en lugar de aceptar que me encontraba desarrollando un poder invencible, hicieron que pasara mi infancia recibiendo grandes dosis de antihistamínico y otras vainas más.

Mi higiene era muy pobre. En la escuela me llamaban "Lux desodorante" y, por supuesto, fui excluido de todo aquello que exigiera a las personas acercarse a mí por voluntad propia.

—Niños, por favor, hagan silencio. Vamos a asignar las parejas para el trabajo de Ciencias de esta semana —decía la maestra Marta.

Y al terminar de pasar la lista y acomodar a cada uno de los alumnos con sus pares, la maestra continuaba:

—Y a ti, Carlitos, te toca trabajar con Lux esta semana.

—Seño, ¿por qué siempre yo?

—Carlitos, ya hemos hablado de esto antes. Lux es un compañerito como cualquier otro y Karina lo hizo la semana pasada.

Y de esta manera me integraba socialmente. Así era para todo.

Recuerdo que para el baile de fin de año, tuve que fingir que tenía una pierna lastimada para evitar que mi madre sufriera al ver que ninguna niña me acompañaría.

En consecuencia, mi primer beso ocurrió al mismo tiempo en que perdí la virginidad. No todos pueden decir eso y, para mí, fue grandioso. Fue a los diecisiete, cuando ya podía ser lo suficientemente invisible para hacer lo que quisiera, en este caso, drogar a una famosa actriz de Hollywood en una suite del Hotel Ritz y poseerla hasta más no poder.

De hecho, también te confieso algo. Muchas de las veces en las que alguien no se acuerda de lo que hizo la noche anterior, yo he estado ahí a su lado, divirtiéndome un poco y haciendo lo que mejor sé hacer: permanecer en la sombra de la miserable soledad.

Urticaria acuagénica fue la sentencia de los médicos.

Al no conseguir explicación, se jugaron la carta más fácil. El doctor Fabricio Orzuela; un viejo calvo, solitario y obstinado, llegó a este diagnóstico ya que el agua no podía tocar mi piel. Solo veinte carajos en todo el mundo nacen con esa extraña alergia y el muy pendejo pensó que yo era uno de ellos. En realidad creo que este tipo es de los que va a los prostíbulos a buscar esposa. El idiota vivía en la calle Lunas Artes, número 30 y bebía mucho. Me cansé de orinarle el whisky, pues era el que levantaba las banderas de la mierda acuagénica. Fue a entrevistas de televisión, foros médicos, vendió libros y hasta escribió un artículo para la revista Scientisse, en la cual se presentó como el abnegado doctor que estaba a la cabeza del equipo médico que trataba mi condición. Según él, mi vida era mejor gracias a su erudita intervención.

Los periodistas se agolpaban en mi casa para conseguir una primicia. El absurdo fue tan grande que terminé haciendo un comercial de televisión para una reconocida marca de agua mineral. "Agua mineral El Paraíso. Hasta a mí me gusta tomarla". El comercial terminaba con los consejos del doctor Fabrizio y su famosa frase: "Yo también la recomiendo".

¡Pobre pendejo, si yo era tu rey, tu mesías!

Al correr de los años, el agua solo funcionó como catalizador para acelerar el proceso de mutación celular que garantizaría mi transparencia absoluta, por lo que solo necesito darme una ducha para emerger del baño como el adonis invisible que todo lo toca, todo lo ve, todo lo oye y, en consecuencia, todo lo controla.

Descubrí que tanto las recurrentes pesadillas como los incesantes dolores musculares, tenían un fin en mi vida, ser el elegido. Soy ese al que solo le falta alcanzar la omnipresencia para llegar al peldaño más alto de la realización celestial.

Es duro escuchar esto, pero la vida está llena de cosas que no quieres escuchar y aun así, sigues adelante. Ahora he comenzado mi obra en la tierra: limpiarla de cuanta rata promueva el sufrimiento del prójimo. Por el momento logré la muerte en "extrañas circunstancias" de todos aquellos que me hicieron la vida imposible, después veremos quién sigue.

Mi vida está dedicada a la misión espiritual que se me ha encomendado. La concreción de mi legado debe ser conocida no solo por ti, sino por todo aquel que respire a tu alrededor. Como era de esperarse, el escritor de este libro no había advertido mi presencia, ni la advertiría jamás. Seguiría pensando que el tecleo que escucha mientras duerme, es producto de un sueño profundo y reparador, que de seguro le dará alguna idea para escribir al día siguiente.

Otro pendejo más.

En el día construyo mis historias y en la noche voy a casa del escritor para vaciar las ideas. A través de su libro te contaré mis hazañas y por supuesto, el final de cada uno de mis verdugos.

¿Quieres saber lo que hice con cada uno de ellos?

Doctor Fabrizio Orzuela, médico neurocirujano

Bueno, a este no lo jodí yo. Para hacer honor a la verdad, lo jodió la mafia.

Descubrí que prescribía a Gino Spinatto, el gran narcotraficante. Dueño de medio pueblo y hasta de la ropa interior que cargaba Fabrizio. De hecho, el creativo calvo era el doctor de toda la familia Spinatto. Así fue como luego entendí muchas cosas.

¿Cómo un médico local puede darse el lujo de conducir un Bentley Continental GT?

En una simple consulta por resfriado común, el doctor Fabrizio "se equivocó" y le prescribió un Antígeno Prostático a Il Capo.

¿Y para apaciguar el estornudo de un mafioso? Pues al galeno "se le ocurrió" sacar del bolsillo de su bata, la lencería roja de la señora Spinatto y ofrecérsela de pañuelo al contrariado matón.

Pobre Fabrizio Orzuela. Imbécil de profesión.

En el fondo era al que más cariño le tenía, por los caramelos en su consultorio.

Por eso, antes de que la mafia lo sumergiera en un contenedor con ácido, hice que donara todas sus mal habidas propiedades, incluso el lindo Bentley rojo, al hombre que se divorció de su hija tres años antes. La vida no puede ser más esplendorosa.

Ahora, ¿te hablo de la psiquiatra?

No. Mejor no. Dejemos a la adicta sexual de última y así le ponemos un poco de orden a esta historia. Mientras, espérame un poco porque se detuvo la linda pelirroja entaconada frente a mí. ¡Uy, qué bien se siente! La brisa le mueve la falda. Huele al perfume de la gloria.

Está escribiendo un mensaje de texto a un hombre. Le dice que se prepare para esta noche porque se afeitó. ¡Mentirosa! Seguro va corriendo a su casa a afeitarse ahorita.

¿Sabías que las pelirrojas no son rojas allá abajo?

La visitaré más tarde. La razón de la visita, te la explico después. Aunque, pensándolo bien, mejor la sigo, porque me toca entrar a su casa con ella. Volvamos a los enjuiciados por "El Fantasma" ¿Te parece?

Jaime Colón, párroco de la iglesia Alcorta Juárez

Viene el religioso. Parecía buena vaina el viejo, aunque lo descubrí en unas cosas medio raras. Además pensó que la "posesión maligna" se me pasaba bañándome con agua bendita mientras rezaba dieciséis padrenuestros y quince avemarías. Los gritos que yo emitía durante el ritual se escuchaban a cinco manzanas a la redonda. Vivía en la iglesia de la calle 33 con la avenida Alcorta Juárez y le dijo a mi madre que él era la persona adecuada para realizar el exorcismo.

No sabes cuánto me reí haciendo volar la cruz de su cuarto como si fuera un globo y paseándole la sotana por toda la habitación ya cerrada con candado. También le escribí un mensaje en el espejo que decía: "De nada te vale rezar". Antes del infarto, el cura se subió a la cama y empezó a soltar plegarias y la plancha dental también. Después de muerto, lo vestí de mujer y así lo encontró el monaguillo, con escarcha en las nalgas y un sensual juguete de cinco velocidades brincando sobre su cama.

Paz a sus restos. Que Dios lo reciba en su regazo.

Vicente Lutero, curandero del pueblo

El que leía las cartas y el tabaco. El que lanzaba los caracoles. El que hacía que tu pareja volviera a ti en tres días y tres noches. El que hablaba con los espíritus.

Hizo que mi madre preparara un menjurje con cola de gato, excremento de loro y semillas de un árbol raro que solo se conseguían en un monte al que se llegaba luego de cinco horas de caminata. Me tenía que beber esa vaina antes de comenzar el ritual.

—Makalakakum ayé... lomimama arekum malakuna. ¡Que todos los espíritus del más allá me escuchen y hagan que el maligno abandone el cuerpo de Lux!

La diarrea era interminable.

Le decía a mi madre que ese era el indicio inequívoco de que las fuerzas del mal estaban abandonando mi cuerpo y que lo harían poco a poco, en unas diez sesiones de más de doscientos pesos cada una y con una botella de ron de ponsigué para las ofrendas a los espíritus.

Te voy a confesar que con este, lo pensé un poco. De un susto no podía ser, porque se la pasaba borracho y así la venganza pierde sabor. Un tiro en la frente hubiese sido muy rápido. Así que se me ocurrió adulterar sus bebidas con pequeñas dosis de un purgante indetectable. Y eso incluía el agua que consumía para rehidratarse luego de cada deposición. Antes de morir recibió una nota que decía: ¿Al maligno le costó salir esta vez, no?

Carlos C. Carrizales, mi ex padrastro.

Le hizo la vida imposible a mi madre.

No perdamos mucho tiempo con él, puesto que se suicidó. No pudo averiguar la causa de su imprevista impotencia sexual. Tampoco le gustó mucho conocer la razón de su inexplicable problema de hemorroides. ¿El dentífrico no iba a ayudarle para eso, verdad?

Los doctores pensaban que era homosexual y no lo había querido reconocer en las consultas. Creo que decidió colgarse cuando recibió algunas fotos en las que estaba dormido sin ropa interior.

Gina Pulitsova, psiquiatra clínica

Al fin llegamos al top de los miserables sentenciados por "El Fantasma" despiadado. Necesito terminar con esta confesión porque la pelirroja entaconada está cerca de llegar a su casa.

Gina, Gina...

Tratar de manipular a un niño para que acepte una condición que no tiene fue algo, a lo menos, abusivo. Las terapias de confrontación para hacerme perder el "miedo al agua" tampoco fueron eventos para agradecer. Sin embargo, me enamoré de ti y por eso te sigo ahora. Te he seguido siempre. Esa linda cabellera pelirroja no me ha dejado en paz nunca.

—¿Qué quieres hacer hoy? —me pregunta Gina.

—No sé. Mi invisibilidad de hoy ha sido aburrida.

—Vámonos a visitar a un amigo. Será algo especial para ti.

—¿El hombre al que le escribiste hace rato?

Risas de Gina...

—Eso forma parte de la sorpresa.

—Sabes que nunca me han gustado los tríos.

—No será nada de eso.

Nunca me lo esperé. Gina me ha llevado a la casa del escritor, quien ahora ha decidido publicar mi historia.

El casco de lombriz

He caído abatido a sus pies.

Minutos antes, mis piernas renuentes a su responsabilidad pretendían desconocer el camino que todavía tenían por delante. Debía avanzar, y avanzaba. No contaba los pasos, tampoco los multiplicaba. El rigor del día me pesaba sobre la espalda, sobre los párpados y sobre las ganas. Me he despertado a las tres de la mañana para llegar a mi curso de Matemáticas a las siete. Una hora para asearme y tomar algunas galletas. Una hora para llegar al terminal de Maracay. Una hora para hacer la fila de abordaje. Una hora de camino hasta la universidad.

Me espera una batalla de una hora dibujada sobre retazos.

¡Me puse los calcetines equivocados!¿Me sentaré de último en cada aula?, no querría que nadie sospechara que no tengo más calcetines. En realidad, no puedo distinguir colores a esa hora de la madrugada, en parte por la ausencia de luz, en parte porque estoy dormido y en parte porque no tengo suficientes calcetines.

Ya voy de regreso, aunque algo retrasado por el tráfico en la Autopista Regional del Centro. Un mortal accidente a la altura del túnel de la Cabrera me ha permitido una hora adicional de sueño, el cual pretendo completar en mi cama antes de iniciar la próxima jornada. Mi último transporte de hoy, o al menos eso creo, me ha dejado a unas cuantas cuadras de mi casa. Comienzo a caminar lo que me resta del trayecto.

—¿Qué dice, Juancho? —pregunté al desaliñado delincuente.

—Habla, flaco, ¿comiendo libros?

—Eso es correcto.

—Este flaco sí le echa bola, no como tú, delincuente, que te la pasas todo el día pendiente de un porro y un malandreo. Llévalo ahí, Lombriz, no vaya a ser que los del Sector Uno se equivoquen —le indica Juancho a su secuaz en cuclillas.

Veo mi reloj. Son las once y diez de la noche, media hora más de lo acostumbrado. Mi escolta improvisado apaga su tabaco y enciende la pequeña moto, la cual irrumpe ahora como mi último transporte del día. La abordo porque sé que es mi única opción. No quiero ser inamistoso con la delincuencia, ni tampoco quiero perder mi calculadora científica a manos de un marihuanero errante. Es inevitable pensarlo, pero en las veredas, ser amigo de los delincuentes no es una elección, nunca sería la mía y además ya me he subido a la moto.

Ajusto el miedo y la mochila. Tomo el casco de Lombriz.

—Flaco, ponte el casco. Si me jodo yo, no importa, sería una lacra menos, ¿pero un futuro ingeniero de la república? No, papá. Mi hermano también le está echando bola, ahorita está terminando el parasistema. Ya le dije que si no termina no venga más por la casa. La vieja se merece por lo menos uno que sirva. Mientras yo le compro las medicinas —dice el maloliente criminal quien también estira su brazo hacia atrás como indicándome que le hiciera entrega de algo.

—¿Y tú no has pensado en enderezarte?

—No, flaco, los libros no son lo mío. Mi universidad es la vida. Por ejemplo, ninguna universidad te enseña que aquella basura de franela azul que va cruzando la esquina anda en una jugada. Así que sujétate, flaco, que ese tipo es hampa del Uno y tenemos cuentas pendientes.

Lombriz acelera la muy golpeada Suzuki 125 como si se tratara de una moto de alta cilindrada al encuentro con el impávido sujeto quien lo señala, lo persigna y lo sentencia en voz baja con los labios apretados y un ceño fruncido por tanta adrenalina. No obstante, Lombriz insiste en mantener su mano extendida hacia atrás y decirme algunas palabras.

Ya lo he entendido. Ahora las manos me tiemblan y la vida también.

Mi respiración se acelera a un ritmo hasta ahora desconocido para mí. El deseo de aferrarme a Lombriz era el mismo que me pedía a gritos que saltara de aquella moto. Sin pedirlo, estoy en medio de una guerra de matones, cuando lo único que yo he alcanzado a robar han sido besos. El hombre de la franela azul se detiene a unos veinte metros delante de la moto y se despoja de su camiseta como quien se dispone a enfrentar al demonio.

Lombriz derrapa la moto con una habilidad que solo habita en aquellos que son tocados por el mal, y desenfunda una Beretta nueve milímetros cromada que ni siquiera vi salir. Ahora, yo he quedado de frente con el hombre del Sector Uno, quien, desafortunadamente para mí, ha logrado disparar primero.

La bala ha perforado el casco.

La bala también ha perforado el tiempo.

Y es que mi hijo no ha llegado. Temprano, escucho el latón de la puerta cerrarse y desde ese momento comienzan las mil plegarias de todos los días. Ayer lo vi llegar tarde y solo espero que hoy tenga la posibilidad de llegar más temprano, por su descanso y por el mío. Nunca pensé que un padre podría desear que su hijo abandonara los estudios, pero la desesperación nunca ha sido amiga del sentido común. La zozobra me ha hecho soñar vainas raras por estos días y anoche me desperté sobresaltado porque lo vi en el medio de una balacera, una angustia que no le deseo a nadie.

Los tiempos han sido muy agitados por las veredas. Las bandas se han decretado la guerra por el control de la zona. Voy a salir a esperarlo en la avenida.

Cincuenta segundos transcurren desde la puerta de la casa hasta el encuentro con la vía pública. Un cigarrillo a medio fumar es lo único que me acompaña, voy descalzo. Su retraso es muy raro. Por ahora, lo que más me preocupa es un hombre parado con el torso desnudo, una franela azul en una mano y un arma en la otra. El insolente disparo me ha hecho soltar al desgastado compañero de camino. El cigarrillo ha tocado el suelo, al mismo tiempo en que lo ha hecho la cabeza de aquel muchacho con el casco negro. Otro hombre yace adolorido sobre la acera a los pies del primero, y la mochila de mi hijo también está visible sobre el girar de la rueda de una moto que desconozco y que divide mi vida en mil fracciones absorbidas por las balas de la desesperación. El hombre del Uno corre hacia la moto como el ave carroñera que ha ganado su turno y detona el arma tres veces más sobre el infortunado del casco negro.

He caído abatido ante sus pies.

Minutos antes, mis piernas renuentes a su responsabilidad pretendían desconocer el camino que todavía tenían por delante. Debía avanzar, y avanzaba. No contaba los pasos, tampoco los multiplicaba. El rigor del día me pesaba sobre la espalda, sobre los párpados y sobre las ganas. Me he despertado a las tres de la mañana para llegar a mi curso de Matemáticas a la siete. Una hora para asearme y tomar algunas galletas. Una hora para llegar al terminal de Maracay. Una hora para hacer la fila de abordaje. Una hora de camino hasta la universidad.

He caído abatido por el miedo a los pies de Lombriz, quien minutos antes estiraba su mano para pedirme de vuelta el casco negro, ese que tantas veces le había investido de un ruin anonimato.

—¡Flaco, dame el casco! Cuando un malandro va a la guerra no muestra la cara, y si ese balurdo busca un malandro en esta moto, ese soy yo, no tú.

¡Agárrate que esto no es un problema de Matemáticas!

Lombriz ha muerto.

Con él se han ido las medicinas de su vieja y la desesperación de mi viejo.

¿Cuántos autos han pasado desde que desperté?

Pueden ser treinta. Nuki no creería que fueran tan pocos. A lo mejor le hubiese ganado unas cuantas latas, pero es mejor que se haya ido con sus historias de las otras vidas para alguna esquina, lejos de aquí.

El malabarista se lleva toda la atención, pero, como siempre, los otros han disimulado muy bien. Observan con exhaustivo detenimiento al tiempo en que eleva las varas en llamas, pero de inmediato voltean sus miradas para perderlas en el horizonte con una indiferencia coloreada por el mal humor.

¿Con el malabarista? Con él no puedo, porque pega muy fuerte. En cambio con Nuki, si acaso puede mantenerse de pie. Por cierto, me debe tres cartones, pero yo sé dónde encontrarlo.

El semáforo cambia a rojo aunque el circo advierte el verde de las libertades presumidas. El primero en llegar es un joven a bordo de un auto blanco, pequeño. Sube el vidrio a pesar de que no lo estoy viendo. Casi nunca lo hago. A los otros no les gusta y también pegan muy fuerte. En el vehículo de al lado hay una viuda con su hijo, quien está lamiendo un caramelo en el asiento trasero de su camioneta roja.

—¡Ese señor está sucio, mamá! ¡Regáñalo! —dice mientras baja el vidrio y me señala con su dedito distinto.

La viuda me observa, yo sigo ignorándola y recojo los cartones.

Sé que es viuda porque viste de negro y hoy no se peinó. Ahora, le indica a su hijo que se calle y que suba el vidrio. El niño no le obedece y sigue señalándome mientras su caramelo cae al inclemente asfalto. El mismo asfalto que camino a diario, casi descalzo para huir del malabarista o para recibir medio duro.

—¿Dónde está Olivia? —digo, mirando al suelo.

La veo, me volteo y camino hacia ella.

"¿Es que todos no hemos sido olvidados en algún momento?", me pregunto divagante.

Detrás de mí y al borde de la acera, Olivia está detenida, justo donde la dejé anoche. Es un buen indicio de la tregua territorial con el malabarista, ya que suele esconderla cuando quiere que yo me vaya.

"Con estos dos autos, ya deben ser como treinta y dos" pienso, al momento en que le acomodo las bolsas a Olivia y cuento las latas. Los paños de la farmacia no tienen el mismo color, lo mismo pasa con los periódicos viejos que recojo para enterarme del mundo a destiempo. En realidad, estoy esperando que el malabarista haga lo suyo, que el semáforo cambie y que el niño no me mire más. En cuanto al caramelo, no me interesa.

Me faltan algunas latas para que Lorenzo acceda a darme lo que quiero, pero en el terreno abandonado sobre el que descansa Olivia solo hay bolsas, botellas vacías de las que me da Lorenzo y otras cosas que solo sirven para arrojárselas a los perros callejeros que se quieran echar sobre mis cartones. Dentro de Olivia, las bolsas están completas. A Olivia la llamo así porque me la traje desde ese supermercado. La ruedita delantera izquierda está como boba, suelta, pero Nuki le colocó un gancho de colgar la ropa que la sostendrá en su lugar mientras no la empuje muy fuerte. O al menos eso me dijo ese charlatán roba latas, para que le diera un sorbo de la media botella que me quedaba.

Mi estómago gruñe porque no he visto a Lorenzo en dos días.

Necesito cien latas y tengo noventa y pico.

El semáforo cambia. El joven del auto blanco acelera impulsivamente y la viuda se aleja de la situación, tan incómoda para ella, como para mí. Me volteo y arrimo los cartones. Certifico que los vehículos se han ido. El malabarista atraviesa la avenida con dirección hacia la esquina opuesta, esta vez profiriendo improperios que me hacen pensar que en algún momento vendrá por mí.

Ojalá consiga lo que busca, porque si no querrá llevarse a Olivia otra vez, y con Olivia, no. Tal vez con Nuki, pero con Olivia, no.

De ese mismo lado y a la derecha del malabarista vive la niña saltona del perro. Todos los días camina dando brinquitos de felicidad por el paso de cebra hacia mi esquina y con dirección a la farmacia y yo me tengo que esconder detrás de Olivia porque el perro me ladra y la niña no puede sostenerlo por mucho tiempo.

El malabarista se ríe y yo le arrojo desperdicios. Es el inicio de una batalla en la que siempre pierdo y luego me tengo que ir a dormir a otro lado. Con Nuki era más fácil espantar al perro, pero tenía que compartirle mis latas, las botellas de Lorenzo, los cartones, las miradas de desprecio y hasta los golpes del malabarista.

Por mi acera casi no hay transeúntes, ya que todos me evitan desde una cuadra antes. Es mejor que sea así. Nunca me dan nada, y cuando me saludan, lo hacen diciéndome que no con su cabeza. Los distintos tienen esas extrañas formas de desprecio.

Me rasco la pierna derecha desde donde el rasgado pantalón me lo permite. El sol apresura un poco su paso al tiempo y me encojo sobre los cartones. Siempre hablo conmigo mismo y hasta me discuto. Lo hago para que los otros sepan que estoy ahí y que esta es mi esquina, es lo único que tengo aparte de Olivia, las latas, los periódicos viejos donde venden mundos de poesía y los cartones.

Tengo que conseguir más latas y lo sé. Pero el viejo gruñón que vive al lado de la niña del perro no ha sacado la basura todavía. Suele hacerlo en el momento en que el sol se agranda más sobre mis cartones y el tráfico abarrota el semáforo. A veces deja algo que sirve para merendar antes de las botellas de Lorenzo. La semana pasada conseguí un par de zapatos que lograban quemarme menos que estos, pero el malabarista me los quitó. Yo le robé tres pelotas de esas que él lanza por los aires y se las cambié a Nuki por una pizza mordida que consiguió en la gasolinera de la otra calle.

El malabarista piensa que fue el perro de la niña y me dijo que lo iba a envenenar.

Pobre niña, tener que lidiar con el malabarista también. Pero no está demás que la bestia que ladra desaparezca en el olvido de la niña.

El semáforo cambia otra vez y marca mi vida sobre los cartones. Los recojo, me volteo, reviso a Olivia, huyo del perro, cuento los vehículos para apostar con Nuki cuando aparezca, pero todo parece indicar que hoy no vendrá, lo que significa que el infame oportunista ha conseguido algo para cambiarle a Lorenzo.

Esta vez, al semáforo han llegado tres autos, dos amarillos y uno plateado. En la primera línea, un Coupé amarillo con una estirada dama que se mira al retrovisor mientras habla con él.

—¡Los otros son raros... también hablan solos! —le digo a Olivia.

Imagino que lo hace para ahuyentar al malabarista. A su lado, un señor ensombrerado a bordo de una miniván clásica con el brazo reposado sobre la puerta. Espero que suelte el tabaco que lleva en la mano.

Cuando era uno de ellos, también me gustaba el tabaco. Ahora no, porque me quema la encía y me arde cuando bebo. Pero será mejor conseguir ese tabaco en caso de que no complete las latas.

Observo la miniván de reojo y saludo al fumador que está viendo para otro lado, al mismo tiempo en que converso conmigo sobre la casi nula posibilidad de que el tabaco vaya a parar al asfalto.

Detrás de ellos dos, una pickup amarilla cargada de trastes de todo tipo. Desde un sofá de cuero enorme hasta varillas de aluminio de todos los tamaños, pasando por muchos cartones de diversos colores. Un minuto en la pick-up con Olivia y consigo que Lorenzo me de todas las botellas de la semana.

El pasajero de la pick-up, un jovencito de unos trece años sube el vidrio y me observa atentamente. Ya estoy acostumbrado y sigo viendo al señor de la miniván delante de él.

El jovencito habla con el conductor a su lado y decide bajar el vidrio. Con un gesto que pocas veces observo en ellos, me pide que me acerque. Miro hacia todos lados y el malabarista trata de llegar primero a la pick-up. El conductor le pide que se aleje y estoy desconcertado. El jovencito vuelve a llamarme y ahora voy hacia el vehículo.

¡Me da una lata fría con un líquido desagradable dentro de ella!

Sin mirarlo a los ojos, la tomo y me alejo corriendo. Él sube su ventana nuevamente y el conductor lo abraza. Desde la otra esquina, el malabarista me observa y busca dentro de la caja de sus pelotas los zapatos que me robó y me los enseña.

¡De ninguna manera le daré la lata! Con su puño, me amenaza.

Al final todos son como yo fui con Nuki.

Abro rápido la lata y derramo el desagradable líquido sobre las ruedas de Olivia. Luego, la coloco erguida sobre la acera y la piso con la ya gastada suela de mi zapato izquierdo, el pie que menos dolor me causa al pisar. Pero la rabia me aborda desde cualquier rincón de mi mente, ya que debería tener los zapatos que el viejo gruñón dejó en el tiradero y que ahora el despiadado malabarista quiere cambiarme por lo único que tendré esta semana para hacerme con una botella de Lorenzo.

El jovencito de la pick-up llora desconsolado porque derramé el líquido. El conductor lo abraza, luego se baja de la pick-up y me insulta de mil maneras distintas.

Ahora, desde la otra calle aparece la niña saltona del perro y espera su paso peatonal. Decido quedarme detrás de Olivia.

Tres amenazas en una misma luz del semáforo y todavía me faltan algunas latas. Tomo a Olivia porque sé que es hora de irme a otro lado.

Le cambiaré la lata a Nuki por un día en su cuadra.

Severo a secas

Lo escuché llegar. No ha gritado todavía.

Lo sentí tropezar con las vasijas de la sala cuando esperaba su cena. Llegó más tarde que de costumbre, seguro que estaba en el bar virtual de Dionisio, enfrascado en los cuentos de sus peripecias para que, entre cada cerveza servida, los circunstanciales amigos le celebraran su habilidad para sembrar tomates en la granja organopónica en la cual trabajaba desde que tengo uso de razón.

Mi hermano y yo nos fuimos a la cama desde las siete para evitar su enojo, y para evitar también que le gritara más fuerte a mi madre. Éramos dos varones: Severo Ignacio de dieciséis, ya era un adulto y por lo tanto, implantado con el chip craneal. Era al que más le pegaban. Y yo, Severo a secas, de catorce. Mamá me dijo que para los no primogénitos no era necesario un segundo nombre. Mi padre lo había querido así y no autorizó a tener hijos hasta que la licencia de Ámbar le permitiera tener solo varones, para lo cual debió esperar cuatro años.

—Las mujeres son algo inútiles —decía muy a menudo.

Vivimos en la gran megaplataforma de San Carrascal en el año 2139 y aunque la tecnología y la nueva reorganización global han traído grandes cambios para los seres de este planeta, hay algunas cosas que todavía no han cambiado y que podrían ponerse peor.

Ya acostado, me arropé hasta la cabeza por si acaso abría la puerta, pero la última vez que lo hizo fue porque creyó que me había escapado por la ventana para jugar con Alberto, el hijo del vecino. Mis ganancia de los ponquecitos de mi madre me permitieron comprar dos soldados LG Max de colección con sus propios megapropulsores antigravitatorios, los cuales pasaban más tiempo en la casa de Alberto que en mis manos, con el fin de ocultarlos de la vista de mi padre.

—¡Carajito, sácate la sábana para verte la cara!

—Aquí estoy —dije, disimulando que había despertado.

—¿Cómo que "Aquí estoy"? ¿A usted se le olvidó que soy su padre?

—Disculpe, padre. Estaba soñando y me desperté de repente.

—Que no sepa yo que usted está saliendo a la calle a hacer de vago. Mañana tempranito lo quiero en la sala, listo para irse conmigo al galpón. ¡A trabajar que es lo que debe hacer un hombre de verdad!

Severo Ignacio se hizo el que no escuchó.

No tenía reloj despertador y además sabía que no podía incumplir esa orden. Quedarme dormido hubiese significado una paliza tanto para mí, como para mi madre. Por eso, a las cuatro de la mañana ya estaba en la sala, vestido con la ropa de la escuela y con la mochila lista, esperando un fortuito cambio de opinión. Mi madre me observaba desde la cocina, como quien miraba a un ternero antes de ser beneficiado. Aquel hombre a veces se levantaba de buen humor y nos dejaba algunos Neurocoins para la comida del día. Otras veces, no corríamos con la misma suerte y teníamos que hacer la tarea en la Plaza del Monumento a Santiago, vendiendo los ponquecitos de calabaza de mi madre, ¡los mejores de toda la plataforma!

Los vendíamos a un cuarto de Neurocoin, sin embargo, eran tan buenos que Ignacio y yo le subimos el precio a tres por un Neurocoin. Desde que mi hermano se volvió un adulto, usábamos su implante craneal para guardar clandestinamente las ganancias y comprar fantásticos juguetes que luego escondíamos en la casa de Alberto. Así funcionaban las cosas.

Antes, teníamos que hacer todas las transacciones a través de la banca portátil de mi madre, la cual había adquirido en secreto con una amiga que trabajaba en la unidad comercial de Ámbar. Pero, ya no.

Ignacio me había convencido de que, a cambio de dejarme usar la bicicleta por tres meses, le permitiera comprar clandestinamente una pequeña arma de fuego para practicar tiro deportivo. Era muy bueno en eso y soñaba con ir a las olimpiadas de Balastrán 2149 en representación de San Carrascal. ¡Sería el primer carrascalino en las competencias olímpicas de tiro al androide!

Recuerdo que para la feria de Ciencias de la escuela, se inventó un arma casera con la que derrumbó todas las latas desde una distancia de diez metros. Por otra parte, mi madre sabía lo que hacíamos porque varios clientes le habían comentado lo del aumento de precio, pero, aun así, no nos decía nada. Solo nos pedía que estuviéramos en la casa antes de las cinco, para evitar problemas con él.

Al llegar, nos bañábamos, comíamos algo rápidamente para después irnos a la cama antes de que llegara del trabajo. Sabía que irme para el cultivo hidropónico significaba renunciar a mis ganancias del día para cargar pesados sacos de abono y recibir grandes palizas si alguno se me rompía.

—La vida no es para los débiles, ni para los que se equivocan —decía mi padre.

Y me fustigaba con su varilla de alambre delgado, la cual tenía amarrada siempre a la cintura con un cordelillo verde de los sacos de abono. En un día llegué a recibir dieciocho azotes y solo se me cayeron dos sacos, porque el otro ya venía roto.

—¡Ese estaba así, padre!

—¡Aparte de inútil, mentiroso!—. Y duplicaba la ración de varilla.

Al llegar a la casa con mi madre más adolorida que yo, me colocaban compresas de hielo en las piernas y en los brazos para bajar la inflamación y disimular un poco las marcas. Al otro día, iba al colegio con ropa muy ancha, de mangas largas.

Los otros niños me llamaban "Severo bartolo" por mi forma de vestir y porque no tenía segundo nombre.

—¡Severo bartolo, Severo bartolo, camisa de rayas y pantalón de trolo!

—No me digan así. ¡Ya déjenme en paz o los acusaré con la maestra!

—¡Severo bartolo, Severo bartolo, quiere sus lentes y que lo dejen solo!

Me tapaba los oídos y me escondía en la biblioteca holográfica. Ningún niño se atrevería a entrar allí por voluntad propia. Pero, aun así, prefería pasar toda las mañanas aislado en los libros, antes que ir al galpón a ser marcado por el alambre y por su mirada de desprecio.

Sí, este soy yo. Severo, a secas.

Un implantado a carta cabal, al que la vida le ha enseñado a golpes que no está hecha ni para los débiles, ni para los que se equivocan.

La Gran Comunidad Global

Hace poco menos de un siglo desde que se formó la Gran Comunidad Global, cuando los dos últimos emporios cibernéticos: Holgram y Nex "se fusionaron" en una empresa única: Ámbar, el centro de poder de la Gran Comunidad Global.

Lástima por Holgram.

Sus neurotransmisores siempre fueron más potentes. Pero Nex obtuvo la ventaja desde que se originó la Guerra Civil Mundial que luchaba por la independencia del pensamiento humano en el antiguo planeta Tierra, hoy rebautizado como la "Gran Comunidad Global". Nex logró imponer la instalación de chips craneales los cuales, en tan solo unas cuantas semanas, reemplazaron a la obsoleta comunicación a través de la telefonía móvil, por lo que se podría decir que Nex creó la telepatía artificial para sacar a Holgram del juego por el control cibernético.

Todo cambió radicalmente cuando el ambicioso de James Atford, ex CEO de Holgram, accedió a vender a Nex las bases de datos con la información personal de más de las tres cuartas partes de la población mundial, lo que desencadenó una ola de protestas masivas que puso en jaque el sistema económico mundial. Inmediatamente después vino la gran inundación, producto del efecto invernadero, y lo demás es parte de la historia. Por si fuera poco, con el deshielo de la Antártica se reveló la presencia de antiguas bases alienígenas instaladas en la tierra desde tiempos remotos.

Tanto el gobierno chino como el norteamericano fueron forzados a desplazar el control del poder político-militar a Nex, quien era la única entidad mundial con la capacidad suficiente para organizar un ejército de androides que protegiera los últimos trazos de territorio firme en el planeta. Así fue como nació la Gran Comunidad Global, un producto de los llamados "Acuerdos Internacionales de Reunificación", los cuales, en realidad, fueron subastas de territorio a través de Wall Street y que, al final, terminaron forzando la negociación para la expulsión definitiva de la raza alienígena.

Desde entonces y con la ayuda de la tecnología extraterrestre, la existencia de megaplataformas interoceánicas han permitido la vida sobre el planeta a despecho de las antiguas masas continentales. Los últimos recursos naturales confinados por Nex dentro de granjas artificiales, fueron reubicados en áreas restringidas por Ámbar y custodiadas militarmente por ejércitos de androides que supuestamente habían sido creados para expulsar la "invasión alienígena", lo que le permitió a las sociedades de las megaplataformas el desarrollo de núcleos de auto sustentabilidad hidropónica en donde trabajaba mi padre. También controlan la producción proteica, pasando por el aprovechamiento eólico, nuclear, hasta la generación de oxígeno con alcance limitado. En resumen, lo controlan todo.

Entre tanto los implantados, como se les llama ahora a los humanos con el chip craneal, vivimos en megaplataformas construidas para albergar poblaciones sectorizadas por selección genética.

La población global está restringida en número y género, por lo que para procrear se debe obtener una licencia de Ámbar con la cual se desbloquea la función craneal que estimula la creación de espermatozoides en el hombre, y que además "sugiere" las características genéticas del ser humano a ser concebido. Como era de esperarse, mi padre no estaba dispuesto a pagar el costo de la concepción avanzada, ya que dependiendo de la calidad de la licencia adquirida, se podría escoger hasta el color de cabello de la descendencia, quienes podrían llegar incluso a estar libres de enfermedades hereditarias u otras condiciones genéticas erradicadas desde hace mucho tiempo. Sin embargo, yo nací con una licencia básica que no impidió mi estrabismo acentuado.

Ese fue mi padre.

El mismo que me prohibía comprar juguetes, pero que a pesar de sus defectos, supo forjar mi carácter de hombre responsable y altamente efectivo para alcanzar todo lo que se propone.

Al convertirme en adulto, entendí que los juguetes no eran necesarios. Mi ridículo e inmaduro capricho de la infancia ocasionó una tragedia que pudo haberse evitado, si tan solo hubiese ido a ese galpón a convertirme en un hombre de verdad.

La culpa

A las cuatro de la mañana ya estaba en la sala, vestido con la ropa de la escuela y con la mochila lista, esperando un fortuito cambio de opinión.

A las cuatro y diez, mi padre salió del cuarto. Su puntualidad era digna de ser reconocida.

Como de costumbre, le dio una nalgada a mi madre quien ni siquiera volteó a su encuentro.

El hombre, envalentonado por la inminente jornada laboral que le aguardaba, se deshizo de un bostezo y caminó hacia la sala.

—¿Y usted pretende cargar sacos de abono con esa camisa? —me dijo amenazante.

—Padre, es que hoy tengo una evaluación importante en la escuela y...

Sin haber terminado de hablar, ya me había ganado mi primer azote del día.

—¡Ya basta, Severo! —gritó mi madre, quien llegó desde la cocina con un gran cuchillo carnicero en su mano temblorosa.

—Pero ¿qué demonios te has creído tú? —le dijo al mismo tiempo en que tomó una de las vasijas de barro que decoraban la sala.

Nunca había visto a mi madre equivocarse de esa forma.

Como pude, traté de arrebatarle la vasija con ambas manos, pero me empujó con tal fuerza que fui a parar contra la baranda de la escalera que daba acceso al piso superior de la casa, tumbando la mesita de fotos que estaba a su lado.

Mi madre trató de protegerse detrás de un largo escaparate de madera antigua que dividía la sala de la cocina, pero el golpe sobre su cabeza fue tan seco que no alcancé a gritar lo suficientemente fuerte como para evitar escuchar el crujir de la vasija contra su cráneo.

Murió al instante.

Luego, el ofuscado hombre se volteó y trató de venir por mí. No obstante, una fuerte detonación se escuchó desde el cuarto y lo hizo caer arrodillado a los pies de Severo Ignacio, con sus brazos tiesos hacia adelante y un tiro milimétricamente colocado en el centro del implante craneal.

—Hasta aquí —dijo Ignacio.

—Hasta pronto —dije yo.

Palabras del autor

Un escritor debería ser capaz de conseguirse a sí mismo antes de plantearse alguna línea. Siento que esa es la forma correcta para derramar un vaso cargado con todo lo que ha vivido.

Al menos eso es lo que me ha sucedido a mí.

Un escritor se alimenta de su vida y de los libros, que al final son parte de su vida. Ese vaso no puede llenarse solo de aspiraciones desenfadadas. Por ello, he querido alejarme de un mar de puntos para no condenarme a vivir eternamente en las mazmorras del olvido, ostentando además un personal concepto de humildad que escaparía a la lógica de los rebaños, no en ejercicio de mi propia valoración, ni tampoco bajo el lente de los observadores de paso. Eso sería, desbordar lo preciso y lo exacto, algo que no me perdonarían mis ya cansados estudios de ingeniería.

¿Pero realmente cuantas cosas pueden ser precisas o exactas dentro de un mundo que cambia todos los días? ¿Cuántas cosas pueden ser precisas o exactas dentro de un universo al que no le conocemos limites? ¿Cuántas cosas pueden ser precisas o exactas en este menjurje de morales tan relativas?

Desde el momento en que escribí la primera línea de este libro de relatos, dejé de ser quien era, porque tanto la verdad como el arte, tienen el poder para transformar la vida de un escritor. De esta forma, las letras aparecerán como en un flujo eterno de verdades infinitas.

Responderme: ¿Quién he sido hasta ahora?, fue lo más apropiado antes de disponerme a caminar sobre estas páginas.

Esa pregunta es muy fácil de responder: el náufrago de una embarcación fabricada con mis propias contradicciones.

Haber nacido con la claridad de querer edificar algo que perdurara en el tiempo, me llevó, por ejemplo, a estudiar Ingeniería Industrial en la Universidad de Carabobo en Venezuela. Crear procesos, crear valor productivo, sincronizar los métodos de producción y analizar los mecanismos bajo los cuales una industria puede ser más eficiente, solía ser mi pasión. Pero la primera contradicción hizo de esta, una causa encallada en las aguas turbulentas de una dictadura que expulsa a todo aquello que quiera ser mejor que otra cosa. Una dictadura tan ridículamente estrafalaria, que no merece ser representada por las letras. Por eso preferí escribir: Pocaterra. Una historia ficcionada de los últimos días del General venezolano Cipriano Castro.

Y no es que admire al caudillo. Para nada. Solo que es el único caudillo al que decidí recordar con ese apellido.

Luego, esa balsa del resentimiento me empujó hacia las costas de un país que me lo ha dado todo. Me refiero a innumerables lecciones de vida que jamás tendrán un valor real para las cajas registradoras del sueño americano, en cuanto la partitura de mi ópera siempre se ha escrito svobre la base de la lucha y el sacrificio sin tregua. Mima, realza aún más el bucólico proceso, en el cual la frustración puede ser capaz de transferirse al instante como consecuencia de un resentimiento empoderado en ideologías metastásicas y retrógradas.

Rescato también de mi memoria algunos días en los que me levantaba en la madrugada para prepararme y llegar al terminal de pasajeros de Maracay, hacer una larga fila para tomar un transporte universitario que viajaba una hora hasta el memorable arco de Bárbula en el estado Carabobo y poder llegar a tiempo a mis clases de álgebra. Todo esto, con regresos a medianoche revestidos de inquietante incertidumbre. El Casco de Lombriz, ha pretendido dibujar alguno de estos momentos de batalla por los cuales pasan la mayoría de los mortales que deseen rebelarse ante la obnubilación de un tesoro pirata.

En otra épica personal, he aprobado una evaluación académica de cinco horas y media de duración con mucha fiebre y nada que me soportara el estómago, para luego enterarme de la muerte de un hermano de esos que te regala la vida. Ramón, ¡púdrete en el infierno!, es un ejercicio de autoficción que mi corazón ha decidido recrear con este relato tan profundamente cercano a mi sensibilidad. O haber sido la única persona de entre 350 aspirantes, que aprobara una evaluación de Geometría. Cinco auditorios repletos de sueños, en el cual lo único que se susurraba era: "...El único que aprobó fue un tal Camburi..."

Nunca mi apellido mal pronunciado había causado tanta armonía en mis oídos.

Me sentí como el único pasajero con la posibilidad de abordar un avión, para volar hacia la realidad de mis sueños. Precisamente eso ocurrió a las 10:39. Quizás, Vuelo 1039 es una forma de homenajear ese momento.

No obstante, estoy seguro de que situaciones como estas son el común denominador de muchas personas. La única diferencia radica en que como yo, los emigrantes de la vida aprendemos a otorgar un valor casi alquímico a experiencias que algún día marcaron nuestras emociones de una manera tan profunda, y que hoy nos convierten en los arquitectos de nuestras propias luchas individuales. Y a pesar de todo, ni un solo ápice de mi cuerpo me ha permitido dudar de intentar trascender a la idiotez humana con la autoconfianza que me ha acompañado siempre, como aquella bandera que acompaña a los grandes ejércitos que desean ser reconocidos por el club de asesinos al cual pertenecen. Esta seguridad que he podido enarbolar en todo lo que hago, y por la cual algunas veces he ganado grandes aliados, pero que otras tantas me ha llevado a la palestra de los pelotones de fusilamiento más pervertidos.

Una seguridad a la que he apostado como la mejor carta para ganar y que me ha costado tantas veces mantener en la mano. Porque los seres humanos somos al mismo tiempo del acero que forjamos a través de nuestros valores y convicciones, pero también somos de la fragilidad con la cual somos heridos durante las batallas de la vida. Ser maleable toma tiempo y no es para todo el mundo.

He intentado ser siempre uno de estos románticos de paciencia interminable. El precio ha sido alto, muy alto. Sin embargo, no hay valor más auténtico que la fidelidad a lo que representas para que a partir de allí, intentes volar tan alto que te conviertas en algo imperceptible ante los ojos de la mediocridad sin sentido. Y lo que antes fue un navío construido por búsquedas, ensayos, convicciones, logros y sufrimientos que lo hacían fundamentalmente contradictorio para muchos, hoy yace perdido en el fondo del mar con tesoros que solo yo tengo en el cofre de mis recuerdos.

Ensalada de Cuervos ha sido un compendio elaborado con algunas vivencias personales, pero también con muchas otras historias acuñadas por un escritor que vio rebosar el vaso de su imaginación. A partir de este libro de relatos, no se tratará nunca más de lo que soy y por lo tanto, aunque hoy esta lectura ha terminado para ti, ha dejado de ser mía desde hace mucho tiempo. Por lo que a continuación me permito regalarte el primer capítulo de una novela que tocará un tema por el que he decidido levantar las banderas como un defensor a ultranza: el desarrollo humano desde la mirada del amenazante burnout laboral. Sé que te sorprenderás como yo al notar que el relato:

Ensalada de Cuervos, ha servido de alimento a esta nueva propuesta literaria, la cual y al igual que la presente obra, no perseguirá ser una referencia moral o una imposición paradigmática para nadie. Solo he intentado dibujarte una parte de mí con estas líneas. Espero que las hayas disfrutado, tanto como yo al escribirlas.

Gracias por acompañarme en esta aventura.

Seguiré escribiendo,

Will.

BURNOUT INC.

BURNOUT INC.

Solo una fracción de segundo le basta a Inocencia para entender lo ocurrido aquella tarde de marzo de 2178, en cuanto sus manos tan frías como la decisión tomada, transpiran impaciencia y mucha incertidumbre. Sus dedos buscan abrazarse para sentir que no están solos, recordándole que todavía puede contar con ellos. Sus pasos escapan perseguidos por mil demonios ante la despedida del húmedo aroma de aquel lugar.

El conteo regresivo ha comenzado, mientras que las luces de San Carrascal siguen encendidas.

Las noticias vuelan a través de los cráneos de manera algo retrasada e Inocencia tiene que esperar hasta ocho segundos para procesar el comunicado de prensa desde la Central Mundial de Ámbar, el centro del poder de la Gran Comunidad Global. La noticia aunque esperada por todos, está cargada de mucho pesar debido a que el último vestigio del antiguo territorio australiano ha desaparecido. Al parecer el museo de Cape York se ha hundido y con él, se han sumergido tanto el gran obelisco dorado de Queensland como la playa virtual de Inskip Point.

—¡Cielos, no pagué la suscripción premium! —dice Inocencia al mismo tiempo en que emite un neurofax para tratar de conseguir un acceso especial on demand.

Le costará más y lo sabe. Los suscriptores premium tienen acceso holográfico al lugar del suceso y eso le permitiría además, documentar en alta definición la desaparición del último retazo de tierra firme que quedaba sobre la Gran Comunidad Global. Todo parece indicar que sus futuros nietos se tendrán que conformar con la simple noticia neurotransmitida. Al fin y al cabo, es más de los que sus abuelos tuvieron para mostrarle del bombardeo rebelde sobre la desaparecida Torre Eiffel.

—Se ha comunicado con el servicio de atención al cliente de Ámbar. En este momento su neurofax no puede ser procesado. Espere algunos segundos hasta que el próximo androide pueda atenderle.

»Gracias por su lealtad y servicio a la Gran Comunidad Global. Mientras espera, le enviaremos un nanoarchivo con los últimos descuentos para las mejores vacaciones en nuestro maravilloso crucero espacial de verano. ¡Por tan solo 399 Neurocoins, podrá visitar el parque de atracciones cibernéticas más grande de Marte! —dice la operadora.

—Operadora, procederé a usar mis créditos de desconexión para procesamiento en modo privado.

—Autorizado. Ahora usted tiene un saldo de 99 gigabytes de créditos en desconexión no supervisada.

—Iniciando pensamiento en modo privado...

"¿Qué le pasa a esta perra, 399 malditos Neurocoins? Necesitaría cuatro meses de sueldo para comprar ese paquete. ¡Desgraciado de David Luke! Piensa que toda la Comunidad

Global puede darse el lujo de costearle la universidad a sus hijos"

Cambiando a modo pensamiento de acceso monitoreado...

Seguro que con esa publicación en Brainsbook más de un chip va a tronar con millones de "me gusta". Después de todo, no es tan mala inversión trolear a Luke. La última publicación de Inocencia acerca de la construcción de la mega autopista transoceánica se viralizó de tal manera, que obtuvo hora y media de desconexión supervisada totalmente gratis.

—Gracias por comunicarse con la central de Ámbar. Ha establecido comunicación de neurofax con el androide M26-1009V. Su petición está siendo procesada. En este momento el servidor central está sobrecargado por un exceso en la demanda, por lo que no podemos ofrecerle conexión holográfica para las coordenadas 10°41'S 142°32'E. ¿En su lugar desea conocer nuestras ofertas en cruceros espaciales al parque de atracciones cibernéticas más grande de Marte?

—¿Puedo utilizar más créditos de desconexión para pensamiento en modo privado?

Desde pagar los servicios básicos de agua potable, oxígeno, luz solar, seguros médicos, Brainsbook o Neurogram; hasta comprarle al hijo de perra de Luke un boleto de ida y vuelta a Marte, toda transacción comercial es registrada por la telepatía artificial. En cuanto a los viajes a Marte, son muy costosos, pero los que han ido dicen que son de lo mejor. Un amigo de Mario, expareja de Inocencia, compró el mes pasado un paquete todo incluido ent el cual, además de las atracciones cibernéticas, se le permitió documentar en alta resolución el aterrizaje del antiguo Rover Perseverance sobre el cráter Jezero. ¡Toda una experiencia ancestral!

Y desde mucho antes de que Mario la dejara, ya a Inocencia la voz le inquietaba sobremanera.

Profunda, lejana, cálida y hasta susurrada.

Un día a la vez, ha pretendido desconocerla y fingir su inexistencia con súbitos sacudones de cabeza precedidos por toscos estremecimientos de su cuerpo. Cada espasmo parece insignificante, hasta que la voz, atrincherada dentro del enjambre de sus miedos, explota al unísono en una suerte de sobresalto expansivo que la recorre de pies a cabeza. La razón de esta extraña voz es ajena a su firme creencia del mal funcionamiento del chip craneal, puesto que ha sido evaluada por los mejores especialistas de salud cibernética en el Instituto de Medicina Avanzada de San Carrascal.

—¿Hay alguien allí? —pregunta al mismo tiempo en el que cierra la puerta del refrigerador electrogénico.

Pero ¿quién va a estar allí?, si ha vivido sola desde que Mario decidió tomarse un tiempo para pensarlo mejor y eso fue hace un mes. Y no es que le guste vivir sola, pero eso es mucho mejor a tener que estar explicándole a un inútil como se utiliza el retrete digital.

Obsesiva, le llaman algunos.

Ella se considera una adicta a la necesaria recurrencia del sentido común. No ve nada de malo en que toda su ropa interior esté organizada por tiempo de uso, colores y preferencias. Piensa que la vida debe seguir un orden que los hombres jamás entenderán. Mario no fue la diferencia, y ahora está convencida de que debe estar hundiéndose en la mugre de cualquier piso de mala muerte.

—Viene a casa a verme, aunque diga que solo desea recoger los tres trapos que dejó. Muy preocupado estuvo en hacerme saber que está muy feliz con la otra, pero sé que eso no es cierto. Debe estar extrañando las cervezas servidas en jarras recién lavadas, o el queso cortado con la exactitud milimétrica que le da ese sabor distinto antes del sexo —dice rebosada frente al espejo. Ahora recuerda que debe revisar la mensajería instantánea de la empresa.

Inocencia, Ingeniera Electricista de Perforación Profunda, reajustó el programa del taladro para permitir un mejor avance con la nueva broca de diamante, aunque su impertinente jefe, quiere reportar un progreso del veinte por ciento por encima del rendimiento esperado del proyecto.

Inocencia nunca imaginó tener que vivir su vida desplazada por la dicotomía de tales polos opuestos. Por un lado Mario quien resultó ser, además de desordenado, un hombre con poca ambición. Por el otro, su jefe. Un norteño atormentado que ahora vive con la firme convicción de hacerle la vida imposible a todo lo que se mueva. Inocencia ha tratado de permanecer inmóvil desde entonces, pero esto le ha costado un pase poco privilegiado a la esclavitud laboral.

La realidad es que, a pesar de su irónica máscara de aparente buen humor, Inocencia ha regresado de un miserable anonimato ensombrecido por la ambición de un mundo que algún día intentó ser próspero y que al final, se convirtió en un cuchillo mortal que la acechó hasta la puerta invisible. Esa misma puerta de la que todos en la Gran Comunidad Global se han escondido alguna vez, sin ni siquiera tener tiempo para suponer lo que verdaderamente hay detrás de ella.

Ahora, en la sala de su nuevo apartamento modular, el sofá esquinero blanco no tendrá a nadie más que a ella con todas sus obsesiones. Las camisas percudidas de Mario ya han sido empacadas y aunque en el fondo todavía no lo acepta, está consciente de que muy pronto se acostumbrará a la soledad resarcida por las comodidades de su hogar. Tal vez seguirá amando su cocina, o el balcón con vista oceánica, o los dos baños con asistencia artificial, o al sofá esquinero. Difícilmente conseguirá un mejor lugar para vivir en San Carrascal, una megaplataforma de mediano tamaño localizada a diez millas al noroeste de la antigua ubicación de la Isla de Puerto Rico.

Con el ultraprocesador portátil de la empresa reposado sobre sus estilizadas piernas, un cepillo plano tratando de definir la dirección correcta para su estilizado cabello lacio, y un microauricular de extensión de señal para el chip craneal atrapado entre su mejilla y el hombro derecho, pretende resolver muchas cosas y ninguna a la vez.

—Hola, Mario, ¿por dónde vienes? Sí, sí, quedamos a las diez en punto, pero debo salir para resolver un problema con el taladro. Tú sabes cómo está lo del proyecto y mi jefe está muy alterado. Te dejo porque la unidad tiene poca carga. ¡Adiós! —dijo a Mario, quien apenas intentaba balbucear la última frase —. Mario nunca entendió que la responsabilidad no conoce de fines de semana y por eso lo dejé. ¿Cómo se atreve a cuestionarme que hoy es domingo? —comenta Inocencia al microauricular ya liberado de la prisión de su clavícula, pero ahora lanzado con desdén sobre el almohadón del sofá.

Y es que un fuerte dolor de cabeza como el de aquel día, no va a desaparecer conversando con Mario. Ha tomado mucho café mientras que el analgésico se ha declarado insuficiente en cualquier dosis. Como ha sido constante en las últimas semanas, pasó la noche sin dormir pensando en los cálculos de operación del taladro y aunque debe revisar la evidencia en el propio sitio del yacimiento “Libertad I”, teme que sus sospechas sean finalmente ciertas.

¿Se habrá equivocado en los cálculos?

Tal vez un neurofax le podría despejar esa duda antes de que su jefe sea informado de alguna falla en la perforación. O quizás podría confirmarla. Pero bajo la sombra de ese viejo gruñón, el equipo de trabajo en el yacimiento dista mucho de poder comunicarse con ella en modo desconexión. Por el momento, solo le queda pensar en la pronta llegada de Mario.

Relegado por el desprecio de aquella mujer que segundos antes lo había arrojado, el microauricular es nuevamente rescatado desde las telas del almohadón finamente decorado con flores azules y pintas del mismo color. Haciendo alarde de un carácter muy volátil, sin destello alguno de la paciencia que la ha hecho soportar su trabajo por tres años, Inocencia decide increpar al infortunado visitante.

—¡Mario!, para que te quede claro, solo dispongo de veinte minutos para recibirte. Luego de eso, ya estaré al frente del taladro. ¿Te parece si te dejo la caja en la puerta?, disculpa pero debo colgarte, mi jefe está llamando otra vez.

Por su parte, Mario piensa que Inocencia está loca.

Nunca se imaginó lo desquiciada que puede llegar a ser esta mujer hasta que tuvo que buscar cualquier excusa para dejarla. ¿A quién se le ocurre cambiar el edredón cada vez que terminaban de hacer el amor? Tres edredones como mínimo, en una noche apasionada. Su miembro se entumecía a la espera de la próxima ropa de cama. Pero él debió darse cuenta, cuando en la primera cita le pidió al mesero del "L'aube" cambiar su Martini tres veces porque la aceituna no tenía el color adecuado.

"¡Qué clase la de esta mujer!" pensó en modo macho depredador con aquellas ganas de tirarla contra la primera cama que consiguiera esa noche. No obstante, lo que Mario desconocía era lo costoso que le iba a salir ese polvo. No por los ochenta Neurocoins que pagó en la cena, sino por las mentadas de madre que tuvo que tragarse después, cuando Inocencia le rociaba con aerosol desinfectante cada día antes de entrar en el apartamento.

¡Y ni hablar del sexo oral!

Nunca imaginó que se iba a dejar echar alcohol en las bolas para conseguir una mamada.

¿Qué si arde? Sentía que lo hundía en un transformador de alto voltaje. Pero al final eso era para Inocencia el sexo seguro y después de todo, Mario la quería.

Si de Mario se trata, hay que decir que es un hombre delgado, de unos seis pies de estatura, ojos café y tez blanca. Posee un mentón pronunciado que caracteriza a la complexión física de los habitantes carrascalinos. Decidió no culminar los estudios universitarios porque descubrió que las pólizas de vida eran muy rentables y además conoció a Inocencia en la Gran Feria del Carrascalazo, el festín conmemorativo de la fundación de una megaplataforma poco solicitada en los mapas turísticos, pero de la cual en San Carrascal se sienten muy orgullosos, en parte por el casino "Los Alces", en parte por la amabilidad de su gente y en parte porque no les queda otra opción.

La historia cuenta que un piloto de la Fuerza Aérea Norteamericana, procedente de Santurce, llamado Santiago Carrascal y apodado "El Santo", derribó a dos naves alienígenas en un obsoleto F-39. Las estatuas no fueron suficientes para reconocer la proeza del aviador boricua y hoy en día la megaplataforma lleva orgullosa su nombre.

San Carrascal es una sociedad algo divorciada con la idea de una gran metrópolis global, pero al menos en lo que respecta al transporte público, funciona bien. En intervalos muy regulares de treinta minutos, parte un "rápido" como cariñosamente le llaman los carrascalinos al único medio de transporte público disponible por elevación suspendida y que atraviesa toda la plataforma desde "Arenisca" más al norte, hasta "Pie de Hornos" como el último punto al sur de una arquitectura con estructura muy peculiar.

Son dieciséis conexiones del rápido, que abarcan una longitud de unas cincuenta millas cuadradas de territorio. Sin embargo, San Carrascal ha sido bendecida con el descubrimiento de yacimientos masivos de un nuevo gas interoceánico de alta eficiencia combustible denominado "Glip". De esta forma y aunque no lo parezca, los casi quince mil habitantes de la comunidad artificial tienen muy pocas opciones para ganarse la vida. Una gran parte se dedica al trabajo virtual en Ámbar dentro de las cuales, se incluyen todos los servicios públicos. Otra parte intenta emplearse en la única empresa privada que funciona en esta zona y la última opción, en donde opera Mario, tratará de comerciar con lo primero que le llegue a sus manos. En otras áreas productivas, los implantados han sido desplazados por la Inteligencia Artificial.

¿La empresa privada?

Se trata de la contratista de perforación en aguas profundas Binc cuyo dueño es el magnate petroquímico Armando Burnout del que se dice, se instaló en San Carrascal para beneficiarse de la reducción impositiva, pero del cual además se sospechan algunos motivos ocultos, dado que su amistad con gente muy poderosa posiblemente lo llevó a manejar información privilegiada acerca de la existencia de los inmensos yacimientos de Glip. Como toda empresa dedicada a la perforación en alta mar, Binc funciona como una contratista militar adscrita al Departamento de Defensa Global, por lo que todos sus trabajadores están en realidad bajo el control de Ámbar, y deben pasar por rigurosas evaluaciones físicas y psicotécnicas para ser admitidos como profesionales asimilados al componente militar de defensa marina.

Diez años han pasado desde que se colocó la piedra fundacional de Binc y tres semanas desde que Inocencia decidió que la empresa y los edredones limpios eran más importantes que su relación con Mario, quien ahora va camino a su desagradable encuentro para buscar todo lo que le quedó en el dormitorio y aunque cree que Inocencia le ama todavía, en poco tiempo Patricia acabó con toda posibilidad de reconciliación.

Delante de él y frente a la taquilla de abordaje del rápido, una anciana con gastado vestido verde y chal de encaje negro intenta discutir algo con la taquillera, quien inusualmente es una implantada. El calor es muy seco y la poca paciencia de Mario hacia la tercera edad, comienza a desperdiciarse cuando escucha que luego de una larga historia acerca de sus nietos, la señora ha pedido un descuento para su pase de abordaje.

—No es posible, ¿hasta dónde vamos a llegar con estos especuladores? —dijo en voz cómplice al mismo tiempo en el que volteaba a mirarlo.

Mario, quien precisamente no es un virtuoso en el arte de la socialización, asiente de manera indiferente y casi automática. Hábil para escabullirse ante las incomodidades, recuerda que una conexión improvisada de neurofax suele funcionarle de salvoconducto para evitar conversaciones no deseadas, y sopesa muy rápidamente la opción de conectarse con Inocencia.

¿La vieja o la loca, la vieja o la loca?

—¡Aló, Inocencia! Sí, voy camino a tu casa, pero quedamos a las diez en punto ¿no? ¿Cómo que al taladro? ¡Pero si hoy es domingo! ¿O ya también le estás haciendo las compras a tu jef...? —dijo Mario sorprendido— ¿Aló, Inocencia? Maldición, la loca me colgó.

—¿Es tu esposa? —preguntó la noble anciana volteando casi instantáneamente a su encuentro.

—No señora. Fuimos pareja. Afortunadamente, ya no. Es muy difícil convivir con esta mujer. Y si supiera lo loca que está, entendería el por qué la dejé por Patricia.

—¿Patricia? —replicó la señora con un tono de moralidades ofendidas.

—Sí señora. Patricia es distinta. A Inocencia nunca le gustó, y ahora puedo ver sus razones —comentó a la señora al mismo tiempo en el que avanzaba hacia su turno en la taquilla.

A Patricia la conoció vendiendo plantas desalinizadoras, momento en el cual comenzó a cuestionarse la necesidad de no seguir desechando su ropa interior luego del primer uso. Una maña muy costosa, pero que mantenía a Inocencia en paz con su animadversión hacia las bacterias.

—Buenos días, ¿me confirmas un boleto de ida y vuelta hacia la estación ocho, habilitado por neurofax 359877-B?

—¿Económico o reservado? —preguntó la amable implantada de la taquilla.

—Económico.

—Veinte Neurocoins.

—¿Veinte Neurocoins? ¿Si hasta hace una semana solo costaba doce? La vieja tenía razón.

—¿Cómo dice? —preguntó la taquillera.

—Disculpe, dije que debo irme porque el rápido llegó a la estación. Confirmo la compra del boleto.

La única razón por la que el tacaño de Mario pagaría los veinte Neurocoins es porque le resulta más económico que comprar de nuevo las camisas de seda que dejó en el apartamento. Al momento de la discusión con Inocencia, no le dio tiempo de llevarse todo. Ahora, con la persistente imagen de lo que alcanzó a empacar ese día, aborda el rápido. Da los buenos días al androide conductor y procede a tomar el único asiento disponible ¡al lado de la anciana!, quien ha querido conversarle desde la taquilla y que parece que consiguió el momento perfecto para entablar su tan deseada amistad dominguera.

—Veinte Neurocoins por viaje corto. ¿Adónde vamos a llegar con estos usureros? La pensión ya no me alcanza ni para ir a visitar a mis nietos.

—¿Doña, usted vive por aquí cerca?

—Si mijo, vivo en Alcázar. Mi viaje diario es hasta la estación siete. Pero te digo que lo peor que puede pasarte en San Carrascal es llegar a viejo. Cuarenta años de servicio en Binc y hoy ni siquiera puedo comprar un ticket para ir a visitar a mi hija.

»Por eso le digo a la juventud que salgan a buscar mundo, a conocer a otras personas, otras culturas. La plataforma ya no es lo mismo. Bien lo decía mi hermana Romelia, uno nunca sabe en dónde va a conseguir su verdadero futuro. Romelia vive en la doce, y cocina la lasaña como la de mi mamá, que Dios la tenga en santa gloria. ¿Te gusta la lasaña? La cocina para la Iglesia todos los domingos a pedido del padre Lucas quien además...

Y a la mierda el viaje del rápido.

En ese momento, Mario descubrió que jamás volvería a viajar un domingo a esa hora. ¿Por qué tenía que olvidar precisamente esas camisas? En especial la camisa blanca, que es la que utiliza para clientes importantes y ocasiones especiales. La camisa, aunque un regalo de Inocencia en su último cumpleaños; es una Salvador Pelletieri de seda importada que bajo ningún concepto se quedaría en el apartamento de esa mujer.

Era su camisa de la suerte.

Mario solía transformarse en otra persona cuando la vestía. Una especie de extrovertido alter ego que se le escapaba al encuentro con la vida y que lo hacía lucir un hombre con profundo conocimiento sobre los negocios o sobre cualquier otra cosa que se necesitara saber a pedido de las circunstancias. No en vano, esa camisa fue la responsable de su nombramiento como vendedor del mes en la compañía de desalinizadoras portátiles por encima de todos los vendedores de la zona sur, además de permitirle conocer a Patricia, quien se deslumbró al instante ante las habilidades arrolladoras de aquella camisa blanca.

—¿Y tu hijo, también vas a la Iglesia? —interrumpe la señora quien no había parado de hablar del padre Lucas durante todo este tiempo.

—Sí, todos los domingos en la estación ocho.

—¡No puede ser! Yo asisto todos los domingos y nunca te había visto por allá.

—Con permiso señora, solicitando conexión a neurofax. ¡Hola, Inocencia!...

A Inocencia le inquieta esa voz, no porque exista, sino porque no entiende lo que ha tratado de decirle todo este tiempo. El doctor Matasano le ha dicho que son cosas normales del estrés al cual está sometida y era de suponerse, ya que entre Mario y su jefe se han encargado de hacerle las cosas más difíciles.

A diferencia de Mario, ella se preocupó por recibirse con las mejores calificaciones como Ingeniero Electricista para Perforación Profunda en la Universidad Virtual de San Carrascal, para luego asimilarse como Teniente de las Fuerzas Globales de Defensa de San Carrascal, lo que le permitió luego de dieciséis entrevistas laborales, acceder a trabajar como Jefe del Proyecto de Cementación y Fractura de Binc, el mejor trabajo posible para una carrascalina de veintiséis años. Y aunque ya no le cause la misma excitación que antes, todo el mundo la admira por trabajar allí. Eso sí que la seduce. Gracias a ese estatus social de artificiales constructos, Inocencia vive con la comodidad que se merece. Y el pendejo de Mario también lo hacía.

—¿O es que cree que vendiendo potabilizadores de agua va a lograr ser alguien en la vida? Al fin, él lo decidió así —comenta Inocencia para sí misma.

¡Dos mil setecientos solicitudes de neurofax sin leer!

Ya ni siquiera los domingos le alcanzan para revisar los caprichos de su jefe.

Desde su llegada a Binc, supo que nada iba a ser sencillo. Su jefe se encargó de hacerle saber que las cosas se iban a poner complicadas desde el primer momento en el que comenzó la entrevista de trabajo. "Es un maldito manipulador" piensa. Y lo logra desde una posición privilegiada, en cuanto cualquier carrascalino mataría por trabajar en Binc. Dentro de la emoción del momento por el hecho de una inminente contratación, les pide firmar cheques en blanco con preguntas como: ¿Estarías dispuesto a trabajar con un máximo de productividad generando el menor gasto de horas extra posible?, o ¿estarías dispuesto a trabajar los fines de semana y a postergar tus vacaciones de acuerdo con las necesidades del departamento? Obviamente que cada respuesta afirmativa será utilizada en contra del tímido aspirante de turno a discreción del maestro del resentimiento.

Ahora, Inocencia revisa entonces el buzón de neurofax y se prepara para salir al yacimiento un domingo a las diez y veinticinco de la mañana.

—¡Oh maldición! Y Mario que no llega. ¿Qué hace esa camisa blanca debajo de mi cama? —comenta Inocencia con tono dubitativo.

Recoge el microauricular del tocador. Dos llamadas perdidas. Hace diez minutos, su jefe. Hace cinco, Mario. Imagina lo que hay en la grabadora de voz. No contesta. Acude al llamado de la puerta y espera que sea Mario.

—Hola, Inocencia, gracias por esperar.

—¿Tenía otra opción? Tu mugre está en una bolsa al lado del termoreclinable de la sala, más este trapo blanco que acabo de conseguir debajo de mi cama.

—Veo que la hostilidad todavía endulza tu interesante vida.

—Mario por favor, ¡se puede poner peor si me sigues retrasando!

—Ok. Vamos a calmarnos. Ya recogí, ya me voy, antes de que se retrase más el descubrimiento de la cura para el virus de la larva transoceánica.

—¡Lárgate, imbécil!

Como todos los días, Inocencia toma la ruta veintitrés rumbo norte en su monopropulsor antigravitatorio con la gran ventaja de que hoy es domingo y no debería conseguir el endemoniado tráfico de los días de semana. No le ha dado tiempo para maquillarse, ni tampoco lo ha deseado hacer, aunque una vez que se reporte en la oficina, se escapará al baño e intentará cubrir un poco las ojeras que le regaló la larga noche de insomnio. Recuerda que ha dejado el cargador del microauricular en casa y que no tiene casi batería. Algo le dice que no se regrese y no es precisamente la voz. Entonces serán al menos quince minutos de tensión sobre el monopropulsor, ya que si su jefe le llama, pensará que se desconectó de manera intencional.

"¿Se habrá equivocado en los cálculos?" piensa nuevamente.

El taladro está programado a un diecisiete por ciento más de potencia que la semana pasada y ha logrado perforar ochocientos metros antes de las últimas veinticuatro horas, lo que todavía supone un avance por encima de lo estipulado para concluir el proyecto en la fecha prometida. La broca no es la mejor, pero al menos cumple con la especificación para completar la operación. El viejo gruñón le pidió que autorizara la compra a otro proveedor porque les daría un margen más alto de maniobrabilidad con respecto al presupuesto. Inocencia espera que esto no termine representando un problema para ella o para la operación y no debería ocurrir en cuanto "el iluminado líder del departamento" le aseguró que los androides habían verificado todas las matemáticas.

Su jefe fuerza la balanza.

Una práctica muy usual dentro del emporio de la perforación, el cual no es más que un paraíso desdibujado en el sueño organizacional de la libertad fingida.

Inocencia está cansada de intentar respirar los aires enrarecidos que Binc ha propagado sobre su vida, ya que no hay forma posible de explicar esta solicitud caprichosa de aumento del avance del taladro, sino a través de lo que se conoce en las conversaciones sarcásticas de la oficina como la "lógica gruñona". Por ello, Inocencia trata de seguir conduciendo para evitar más pensamientos, pero intuye que la voz emergerá de nuevo como mencionando su nombre, lo cual le asusta y mucho.

Fue a partir de aquella fuerte discusión con su jefe, lo que marcó el inicio de las apariciones de esta voz grave, pero a la vez dulce y encontrada con cualquiera de sus realidades. Desde ese momento, la vida en Binc ha sido como la vía por la cual conduce con imprudente ambición personal, ya que como en todo mundo adoctrinado, la única forma de escape también podría conducir hacia destinos inciertos. En esas paredes de Binc construidas por mentes autoritarias, lo realmente importante es tener la oportunidad de regurgitar desgracias luego de cada jornada laboral, sufriendo inquebrantables dolores de cabeza que le nublarán la mente por completo, la vaciarán y la sumergirán en un oscuro mundo de interminable rechazo.

Mientras conduce su monopropulsor, Inocencia ha notado como la oscuridad aumenta dentro de sí misma a pesar de la brillante luz del día. Sabe que ha emprendido un recorrido que la llevará a enfrentar cualquier cosa, desde peraltes pronunciados que pueden resultar mortales a contravía, hasta apariciones de animales salvajemente adaptados a incalculables niveles de toxicidad laboral, con mutaciones horribles que pueden extraviarle en el descontrol de las relaciones más incomprendidas. El mejor ejemplo de todo esto es Gloria, quien una vez se presentó como la mejor compañera de trabajo que alguien puede tener.

Inocencia la detesta. En realidad, todos en la oficina lo hacen.

Cuando todo parecía fácilmente transitable para Inocencia, Binc resultó ser una invitación a la esclavitud esparcida por el antojo de confusos valores corporativos que emergen desde sus ruinas. Morir de esta forma es algo de real preocupación para ella, si toma en cuenta que al pie de su desafortunado sepulcro se erigirá una lápida mortuoria con un mensaje prefabricado y muy parecido a este:

"Aquí yace un tranquilino eficiente y productivo. Se busca su reemplazo con veinte años de experiencia, disponibilidad las veinticuatro horas del día, que conozca de sistemas que solo se utilizan en Binc. Que sepa trabajar bajo presión, proactivo, multitareas, con aspiraciones flexibles y con tendencia a no importarle el hambre de su familia. Viva en la llama eterna del amor a Burnout, Inc."

Y como por arte de magia, miles de aspirantes a trabajar en Binc serán capaces de inventarse habilidades extraordinarias para lograr firmar ese majestuoso cheque en blanco que hipotecará su vida a las manos del jefe, quien va a decidir lo que será o no será conveniente para ellos.

Para estos nuevos candidatos, esto significará aceptar la muerte emocional sin dar la más mínima muestra de dolor, es decir, reprimir su esencia humana en nombre de los intereses de la dinastía Burnout, pues siempre existirán nuevas e ilimitadas exigencias enmarcadas en lo que denominan: "los valores Burnout".

Como si fuera poco tener que depender de un chip craneal hasta para orinar, Inocencia también debe lidiar con la ignorancia destructiva de su jefe, y lo que él representa.

En una forma despiadada de autoextinción moral y como para la mayoría de los carrascalinos, Inocencia ha sido educada para aspirar lo mismo que los demás, obedecer las leyes de la plataforma, trabajar en Binc, socializar con sus zombis, mantenerse alejada del fracaso y tratar de no morir en la búsqueda de su propia felicidad. Aunque nunca podrá decidir sobre lo que realmente desea, sino sobre lo que querrá evitar. La puerta invisible siempre estará allí para recordarle la forma más conveniente de morir y el chip craneal, también. En nada le ayudan las frecuentes comparaciones con Gloria, sin embargo, el viejo gruñón no se detiene.

Al final de todo, las manzanas son manzanas y aunque se les compare entre ellas, nunca sería un ejercicio justo si no existe la voluntad de definir con absoluta claridad todos sus atributos. Lo demás, es un mero ejercicio de inconsistencia que ahora vive instalado en las mayorías corporativas dominadas por acidificantes formas de pensamiento. Doctrinas que pretenden decretar que alguien es mejor que otro, simplemente por la conveniencia de un jefe encarcelado por sus propios prejuicios e intereses.

Y no hay peor preso, que uno que no desea salir de la prisión. No hay peor preso, que un rey encarcelado por sí mismo.

No hay peor preso, que aquel que no sabe que está preso.

Para otras personas en cambio, resulta casi absurdo pensar en las simetrías de la "lógica gruñona" puesto que estas no generan atracción ni credibilidad. No obstante, dentro de las paredes de Binc, todos deben ser partes simétricas de una comparsa ridículamente contradictoria en donde hasta la naturaleza tiene que ser perfecta, cuando en realidad nada que provenga de ella pueden abrazar la verdadera simetría. Inocencia, piensa todos los días en sus diferencias como un alimento espiritual que la proyecta en cada espacio ocupado, en cada neurofax, en cada holograma y en cada espacio vacío que le falte por resarcir. En este mundo laboral abigarrado por la comparación injusta, nadie puede huir de lo que es, de lo que fue y de lo que va a ser. Este trabajo, ahora distante a los deseos de Inocencia, la consume desde el ego de su jefe y desde su insaciable hambre de construir un legado cubierto por la miseria.

Entre tanto, las divagaciones de Inocencia han arribado junto con ella al lugar del yacimiento.

El androide de seguridad asiente con la cabeza como quien no le sorprende nada.

Para su jefe, es inadmisible que Inocencia no haya entendido que tiene que estar al pie de las operaciones para supervisar el avance de la perforación.

—Cuando piden ser contratados, ponen caras de corderitos y aceptan todas las condiciones. Pero luego se les ven todas las costuras. ¡Benigno! ¿Dónde está el informe de proveedores que te pedí ayer?

—Jefe, lo estoy terminando ahora y se lo envío. Recuerde que los sábados algunos proveedores no trabajan.

—Me valen verga tus proveedores. Si tuvieses tu trabajo al día, la información estaría lista. Luego andas de llorón por tu mala evaluación de desempeño, en lugar de darle gracias a Dios porque no te he corrido. ¿Sabes cuantas personas matarían por estar en tu lugar? Y por cierto, no quiero que te vayas de aquí hoy sin antes colocar la orden de compra para las brocas nuevas.

»¡Gloria, a mi oficina de inmediato!

—Si Jefe, dígame.

—Por favor ponle el ojo a estos dos y me contactas por neurofax ante cualquier impertinencia. Tengo que retirarme por una emergencia familiar, pero puedo volver en cualquier momento así tenga que usar datos holográficos. No quiero a nadie calentándome la oficina.

—Si Jefe, no se preocupe.

—Y sobre todo, en cuanto llegue Inocencia me anotas su hora de llegada y le dices que el informe que debe entregarme todos los miércoles, lo necesito ahora para mañana a primera hora en mi buzón de mensajería neuronal. Ya se lo pedí por neurofax y no quiero volver a hablar con ella hoy. ¡Y si no lo termina, que no venga mañana, así todos sus días serán domingos!

» Otra cosa, los turnos de trabajo de la semana que viene ya están planificados en la cartelera de Recursos Humanos. Necesito que ese taladro trabaje con un incremento del treinta por ciento de la potencia. No diecisiete, no veinte, no veinticinco. Inocencia parece que no tiene lo que se debe tener para acelerar este proyecto. Aquí, los que trabajan conmigo tienen que trabajar comprometidos con los objetivos, ¿queda claro?

—Si Jefe, como usted ordene.

Para el momento en el que Inocencia arriba a la caseta del yacimiento, el viejo gruñón se ha ido. Nadie le ha contestado los buenos días y en el ambiente se respiran aires de represalia colectiva por su hora de llegada. Nadie le dice absolutamente nada, pero todos parecen sentirse con el derecho de recriminarle con miradas rasantes su rebelde comodidad. Solo Benigno se ha acercado con una taza de café en sus manos y le ha informado acerca de los últimos detalles de la operación.

—Hola tú.

—Hola, Beni. ¿El diablo se fue?

—Si, pero se aseguró de dejar el infierno ardiendo. Las pailas están a full y con su respectivo demonio dando vueltas por la oficina.

—¿Gloria está aquí?, ¡pero si trabajó tercer turno anoche!

—Las cosas se movieron un poco. No te va a gustar nada, nadita, nada. ¡Oh, ahí viene la desgracia en tacones!, que te cuente ella. Cuidado con el tridente, se pone más caliente por el jet lag del tercer turno —dice Benigno en voz baja al mismo tiempo en que se levanta del borde del escritorio de Inocencia.

Gloria, la mano derecha del jefe y compañera de trabajo de Inocencia y Benigno, se aproxima desde la puerta del tráiler con el caminar distintivo de aquellos que tienen un poder recién investido. Observa a Benigno con ínfulas de advertencia y procede a golpear el escritorio de Inocencia como si se tratara de una puerta.

—Buenas noches a la señorita Inocenta, veo que le fue muy bien en la fiesta de anoche.

—Hola Gloria, ninguna fiesta. Y por favor, me llamo Inocencia. Solo algunos asuntos familiares que debía resolver. Y si me disculpas...

—Pues en realidad seré breve. El jefe me encargó que te dijera que...

—Gloria. Gracias de verdad. Ya leí su neurofax. No es necesario que me lo recuerdes.

—Él no vio tu respuesta antes de irse, pero bueno, ya eso es asunto tuyo.

—Si, precisamente eso es Gloria. Asunto mío. Todo lo que ocurra con mi trabajo y con mi vida fuera de él, termina siendo asunto mío.

—Solo cumplo con lo que me encargó. Yo si estaba aquí cuando él necesitó que se cumplieran sus órdenes.

—¡Que bien por ti! Imagino que en este momento también puede estar necesitando a alguien que le cumpla alguna de sus disposiciones. Tengo mucho trabajo, así que cualquier cosa que necesites, me consigues en la plataforma del taladro.

"¡Maldita Perra!" piensa Inocencia con todas sus fuerzas al

mismo tiempo en que cierra con su código de huella digital la cerradura del escritorio. Ahora camina hacia la puerta dejando atrás a Gloria. En su mano lleva un casco de protección, un viejo intercomunicador de onda corta y unas gafas de seguridad que no alcanzó a colocarse ante la inoportuna presencia de la infame visita. Además, el dolor de cabeza no ha cesado, y todo parece indicar que no lo hará. El vil aroma de aquella caseta le invade, penetrando sus fosas nasales como dos lanzas que se afincan sobre la frente. No es usual que deba disculparse por llegar tarde, pero apenas esta mañana fue notificada que se requería su presencia en la perforación. Ella sabe que todo esto es una factura por no forzar el avance del taladro, pero lo cierto es que su jefe se ha negado a dejar la orden por escrito.

El vagón suspendido para transporte interno ha llegado, ya que el pozo se encuentra ubicado en el yacimiento "Libertad I", a trescientos metros de las oficinas. Será un minuto de introspección para añorar el sofá esquinero o tal vez para pensar en Mario. El intercomunicador no ha dejado de mostrarle decenas de charlas que no le interesan y recuerda que su microauricular personal está descargado, por lo que no tiene acceso inmediato a llamar a Benigno sin que todo el mundo se entere. Inocencia saca un mini atomizador desinfectante de su bolso de cintura y lo aplica sobre toda la superficie de contacto del único asiento del vagón. Noventa y nueve por ciento libre de bacterias. Noventa y nueve por ciento cargada de frustración.

Luego, toma el cargador universal del vagón y lo conecta a la terminal del microauricular. Esto le dará la carga requerida durante el traslado. Los cálculos que tanto revisó en sus noches de insomnio no son incorrectos, pero si inadecuados.

Respira y estira sus brazos.

Mira de nuevo su microauricular como buscando acelerar la carga. Levanta su mirada a través del vagón y se pierde en cualquier punto del horizonte a través de la plataforma, con el imperturbable océano detrás de sí.

—Benigno a Inocencia, cambio.

—Aquí Inocencia, cambio.

—¿Sabes por qué está detenido el taladro?, cambio.

—Estoy aproximándome a la perforación. No sabía que estaba detenido, cambio.

—Gloria, ¿estás ahí?, cambio.

—Aquí Gloria, cambio.

Ruido de interferencia...

—¿Hay algún mantenimiento programado para hoy?, cambio.

—Cambio de la broca, Inocencia. ¿Por qué otra razón se detendría la perforación?, cambio.

—No hay programado ningún cambio de broca, Gloria. El avance calculado no lo requiere, cambio.

Ruido de interferencia...

—El taladro avanza a veintidós por ciento desde anoche, cambio.

—Gloria, ¿quién demonios autorizó a incrementar el avance?, cambio.

Pero ya Inocencia conoce la respuesta, por lo que el intercomunicador es apoyado contra su frente ya vencida por tanta frustración, tanto autoritarismo, tanto irrespeto —"¡Malparido de mi jefe!"—piensa Inocencia con los dientes apretados, como si la presión de su mandíbula pudiera darle un énfasis adicional a cada sílaba.

El vagón ha llegado al lugar de la perforación, y los androides de mantenimiento se encuentran sobre la máquina de ajuste.

—Mateo, ¿cómo vamos con el cambio? —pregunta Inocencia al jefe de operaciones.

—Retrasados Ingeniera. Los Androides están consumiendo mucha energía por los constantes cambios de trépano. Creo que debería pensar en contratar una cuadrilla de apoyo.

—Van bien Mateo, los muchachos lo hacen excelente.

—Estamos teniendo sobrecalentamiento de la Kelly, me preocupa que el niño no aguante el trote.

—No desesperes Mateo, ya estamos trabajando en eso. Por el momento mantén la perforación a los parámetros indicados por Gloria. Pero Mateo, por favor tengan mucho cuidado al aproximarse a la zona de Glip. La broca no puede entrar con un avance muy fuerte allí porque podría hacer combustión. El gas es muy inestable y hay cosas que todavía se conocen muy poco de él. ¿Gloria te dejó el protocolo de operación?

—Como usted diga Teniente. No, la Teniente Gloria no nos entregó ningún protocolo. ¡Se me olvidaba! también sería bueno que usted revise las poleas esta noche.

—¿No les entregó el protocolo? No reinicien la perforación hasta que yo consiga esa aprobación firmada. Por otro lado, yo le comento a Gloria para que chequee esta noche lo de las poleas.

—Disculpe Teniente. Tengo entendido que usted viene esta noche a hacer el mantenimiento. Por eso le digo directamente a usted. Con todo respeto, con esa señorita preferimos no hablar mucho. Por si acaso le dice algo, no diga que fui yo quien le informó primero.

Es poco lo que Inocencia puede hacer.

El mundo se le viene abajo porque su jefe la está apartando de ser la líder del proyecto y de paso, está actuando de manera irresponsable. Todos saben que el tercer turno se encarga de limpiar las cochinadas del primero y ahora Inocencia quedará para lavar los trastes de Gloria. El dolor de cabeza no va a detenerse dentro de tanta locura. La voz trata de abrirse paso en la conversación, provocándole espasmos repentinos que funden a Inocencia en una ansiedad de proporciones grotescas, provocándole las ganas más infinitas de mandar a todo el mundo al carajo.

—Si Mateo, no se preocupe. Yo me encargo de revisarlo todo esta noche.

Algo no huele bien e Inocencia lo sabe.

El jefe no gira instrucciones sin razón alguna, y su instinto le dice que algunas intenciones solapadas andan al acecho. Desea ver el cambio de turno por sí misma y además, si ha sido cambiada de turno de manera tan repentina, ya no necesita estar al pie del taladro, por lo que apresurada decide regresar al vagón de vuelta al tráiler, no sin antes conectarse para el registro de los parámetros de funcionamiento del taladro como una evidencia del cambio no autorizado por ella.

—Mateo, por favor dame acceso a la caseta de control. Necesito registrar los parámetros —. Le solicita Inocencia al Jefe de Taladro.

—Si Teniente, como usted diga.

Inocencia confronta las escaleras de la caseta con dos objetivos en mente. El primero, ocultar su rostro desencajado ante las miradas de los operarios y el segundo, acceder a los datos encriptados de operación para obtener la prueba de que han sido alterados sin su consentimiento. Cada paso sobre los tramos de escalera, lo resiente como una equilibrista sobre la cuerda floja de la que muchas veces ha pensado saltar, aunque luego sería incapaz de reconocerse dentro de un vacío que lentamente le desgarra la voluntad. La llama que la mantenía atenta al taladro y a su éxito profesional se fue hace mucho tiempo. Ninguno de sus elementos físicos expresa la voluntad de incorporarse al ahora, porque han sido reprimidos desde él antes.

Se permite entonces dudar del tiempo y tratar de vencerlo con fugaces ideas de inacción justificada. No descarta "enfermarse" para esta noche, aunque el ausentismo laboral se paga con pena capital sobre su libertad carrascalina, en cuanto siempre le va a deber un día a su jefe a pesar de que se lo pague mil veces. Todo en ella se concentra en el deseo ferviente de lubricar sus párpados y cerrarlos hasta que decidan reencontrarse con el presente, porque al llegar a la oficina de nuevo, tendrá que desencajonar su inútil disfraz de heroína —¿Cómo es posible que su jefe haya ordenado un aumento de avance sin protocolo de seguridad? ¿Por qué sigo trabajando aquí? —se preguntaba en voz alta.

—Jefe, le habla Gloria. La hora de llegada de la Teniente Inocencia fue once y dieciséis de la mañana. Ella me dijo que ya leyó su neurofax, por lo que asumo que no quiso contestarle. Por el momento, ella se encuentra en el punto de perforación, el cual está detenido por cambio de broca desde hace cuarenta minutos.

—Gloria, gracias por la actualización. Por favor ordena que comience la operación del taladro. No podemos darnos el lujo de tener a la gente rascándose las bolas. Si el cambio de broca se hace en treinta minutos, ese taladro debe estar perforando ya. Quiero conocer el estatus del avance cada dos horas.

—Jefe, es bueno que sepa que me indican desde el yacimiento que Inocencia ordenó detener la perforación por ausencia del protocolo de operación.

—Tú decides lo que haces Gloria. Ponte de acuerdo contigo misma y me avisas para saber quién de ustedes dos tiene el liderazgo de la perforación.

—Si jefe no se preocupe, entendido.

—Gloria, la gente no te va a obedecer porque crean en ti o porque te tengan cariño. Si alguien desea ser mi sucesor, tiene que saber que la autoridad es innegociable. Reúne a todo el equipo en cinco minutos en la plataforma, te voy a demostrar cómo se hacen las cosas conmigo.

—De acuerdo Jefe.

Desde la salida del taladro, el vagón ya está allí para salvar a Inocencia del derrumbe emocional definitivo delante de los trabajadores del "Libertad I".

Su trabajo en la caseta de control ha terminado.

Su cansancio ya no proviene de ningún esfuerzo y se ha vuelto su estado natural. La energía no existe más en su cuerpo y posiblemente no sea encontrada, ni siquiera en los roces efímeros de las sonrisas artificiales en la oficina. Los domingos han demostrado ser recámaras que albergan a los fantasmas del lunes, con un jefe listo para degollar iniciativas, buenos humores y altas motivaciones infundadas.

Inocencia toma entonces el microauricular y lo apaga porque conoce muy bien la inconveniencia de pronunciarse en este momento. Pero lo que si no sabe, es por cuanto tiempo podrá seguir reprimiendo la bomba de tiempo que le carcome el estómago y le hace cargar con cien kilos de maldiciones por cada centímetro cuadrado de su cuerpo.

Una vez en el vagón, sus manos tiemblan en la búsqueda del pequeño bolso de cintura para sacar un cigarrillo que apenas podrá alcanzar. Ella no fuma y además olvido sacar el atomizador desinfectante, pero últimamente se ha dado cuenta de que un cigarrillo es lo único que la mantiene alejada de tanta basura. Un sacudón entra por su cabeza al mismo tiempo en el que la voz retumba como un trueno por todo el vagón: "Regresa".

Es la primera vez en la que logra entender claramente lo que le dice la misteriosa voz, y esto la ha hecho soltar el cigarrillo a medio fumar. Pero ¿regresar adonde?

Inocencia está convencida de que existe una intercepción no autorizada de las comunicaciones sobre su chip craneal, aunque los médicos no hayan podido demostrarlo.

—Solicitando acceso a las últimas noticias globales.

—Acceso no autorizado. Su dispositivo se encuentra operando sobre red protegida.

—¿Red protegida? Nunca había tenido restricciones para acceder al sistema global desde la zona del taladro. Solicitando acceso a cámara de vigilancia de: Apartamento.

—Acceso no autorizado. Su dispositivo se encuentra operando sobre red protegida— replica la voz grabada— ¿Alteraron las políticas de acceso en los vagones o será en toda la zona? Tendré que verificar nuevamente en la oficina y chequear con Benigno.

Sin embargo un destello muy brillante seguido por un escalofriante sonido ha llegado primero al vagón.

El taladro ha provocado una gran explosión.

Índice

desde - from, since

a pesar de - although

parecido = similar

al resto - to the rest

inesperado - unexpected

giros - twists

dejar - to leave

ganar - to want / desire

ofrecer - to offer